La mort du pusher

Bienvenue dans mon cauchemar, roman, Montréal, VLB éditeur, 1997 (épuisé).

Les héroïnes de Montréal, nouvelles, Montréal, VLB éditeur, 1999.

Lettres de prison, Montréal, VLB éditeur, 2002.

Des étoiles jumelles, roman, Montréal, VLB éditeur, 2004.

Emma des rues, roman, Montréal, VLB éditeur, 2005 (épuisé).

Marie Gagnon

La mort du pusher

roman

XYZ
éditeur

Catalogage avant publication de Bibliothèque et Archives nationales du Québec et
Bibliothèque et Archives Canada
Gagnon, Marie, 1966-
    La mort du pusher
    ISBN 978-2-89772-019-3
    I. Titre.
PS8563.A329M67 2016   C843'.54   C2016-941086-2
PS9563.A329M67 2016

Les Éditions XYZ bénéficient du soutien financier du gouvernement du Québec par
l'entremise du programme de crédit d'impôt pour l'édition de livres et de la Société
de développement des entreprises culturelles du Québec (SODEC). L'éditeur remercie également le Conseil des arts du Canada de l'aide accordée à son programme de
publication.

Financé par le gouvernement du Canada | Canadä

Édition : Marie-Pierre Barathon
Conception typographique et montage : Édiscript enr.
Graphisme de la couverture : René St-Amand
Illustration de la couverture : Perry Kroll, iStockphoto.com
Photographie de l'auteure : Julie Artacho

ISBN version imprimée : 978-2-89772-019-3
ISBN version numérique (PDF) : 978-2-89772-020-9
ISBN version numérique (ePub) : 978-2-89772-021-6

Dépôt légal : 3e trimestre 2016
Bibliothèque et Archives nationales du Québec
Bibliothèque et Archives Canada

Diffusion/distribution au Canada :   **Diffusion/distribution en Europe :**
Distribution HMH   Librairie du Québec/DNM
1815, avenue De Lorimier   30, rue Gay-Lussac
Montréal (Québec) H2K 3W6   75005 Paris, FRANCE
www.distributionhmh.com   www.librairieduquebec.fr

Imprimé au Canada

www.editionsxyz.com

À la mémoire de Guido Molinari,
mentor et ami,
et avec une pensée pour Paul Cursol
et pour mon père spirituel Fray Alain Major.

Chapitre I

Le compte à rebours vient de s'enclencher. Pour Jos, son existence se joue ce soir et il a tout prévu pour conserver sa précieuse peau. En ce dernier vendredi de novembre, une neige épaisse bâillonne le sol et étouffe les bruits.

Rue Saint-Dominique, Jos fait partie des meubles. Vautré sur son vaste divan comme une boursouflure du tissu, le ventre émergeant tel un coussin parmi les autres, il attend. La peur l'oppresse. Son corps enflé, malade, surdosé de pilules et de drogue, sue l'angoisse par tous ses pores. Jos, mafieux de grande famille, un temps intervenant dans une maison de thérapie pour drogués, mais redevenu consommateur et pusher, veut vivre. Plus que jamais !

Son délabrement intérieur des dernières années, sa débâcle physique, sa fatigue et ces douleurs constantes dans les os lui rappellent la précarité de l'existence.

La veille, par l'entremise d'un tiers, Jos a appris que le clan Ciottolo avait finalement voté sa mort, longuement remise et toujours reportée.

— Ton exécution aura lieu demain soir, lui a soufflé, blanc de peur et de manque, un pauvre drogué qui a des contacts dans le milieu.

Jos est resté impassible. Le junkie a poursuivi bas, murmurant :

— Je… je sais que vous ne vendez pas à des particuliers comme moi… du moins rarement, mais mon info vaut quelque chose, pas vrai ?

Enfin, devant ce Jos opaque, il a répété :

— Demain soir. Entre vingt et vingt-deux heures… Même jour, même heure que les ravitaillements en drogue. Comme ça, ils ont pensé… Vous serez sans méfiance… Et ils vous tueront !

Jos encore une fois n'a rien laissé paraître de son émotion. Admiratif, l'indicateur, avec en main son petit sachet d'héroïne obtenu en échange de l'info, s'est glissé hors du loft. Tel un chat peureux, il rasait les murs.

Oh ! Madone, a murmuré Jos une fois seul. Il s'est agrippé à une chaise : *Oh Madone !*

Puis, une pensée a fait naître sur ses lèvres un amer sourire : l'air du parrain demain soir si ses molosses à deux pattes reviennent vers lui la queue haute ! Cet air, Jos l'imagine, sera celui d'un fauve repu, avachi dans son fauteuil de cuir à oreillettes.

Peut-être, le vieux Ciottolo ira-t-il jusqu'à donner à ses tueurs l'accolade réservée aux plus précieux de ses collaborateurs. Ultime récompense jetée à ces brutes comme un os à des chiens. Debout à sa gauche, un peu en retrait, le fils aîné, Dany, éternel envieux de Jos, prendra la mine heureuse de quelqu'un pour qui tout est dit.

Il y a deux ans, il y a un an, Jos s'attendait à cette funeste visite. Mais le temps avait engourdi ses craintes. Depuis six mois, rien de plus grave que des remontrances molles lui ont été adressées par le parrain, via des subalternes plus impressionnés par Jos qu'empressés de le brusquer. Jusqu'à hier, Jos ne croyait plus qu'on veuille l'éliminer. Plus du tout.

Et voilà que si !

Certes, il y a belle lurette qu'il n'est plus un proche du parrain. Il en a déboulé des paliers depuis… Mais c'est lui, le plus gros fournisseur d'héroïne du quartier est. Celui qui reçoit la drogue de première main, la coupe, la vend à une dizaine de clans ou de gangs qui la coupent et la revendent, jusqu'aux petits pushers de rue. Si Jos n'avait plus toute la confiance du parrain, ce dernier lui en accordait jusqu'à aujourd'hui encore assez pour le garder à un tel poste ! C'est cette raison, plus que toute autre, qui a endormi la méfiance de Jos.

Comment les Ciottolo vont-ils procéder ? Sont-ce les mêmes deux vieux capos que Jos a l'habitude de voir qui seront chargés du sale boulot ? Jusqu'ici, leur unique travail consistait à le fournir en came et à recevoir le paiement des dernières ventes. Une job de tout repos à ce niveau du crime. Presque sans risque, en fait. La flicaille s'essouffle aux premiers échelons d'une hiérarchie, et ses coups de filets n'attrapent que les petits revendeurs !

Amollis par l'âge, les capos devront-ils retrouver les nerfs de leur jeunesse pour abattre Jos ? Si c'est le cas, ça ne devrait guère leur plaire. Le clan conserve pour ses vétérans des postes de retraite qui sauvegardent leur dignité et ne demandent que peu d'efforts. Celui de fournir des revendeurs de haut vol, est un de ces boulots-pensions. Tuer par contre… Le conseil les remplacera-t-il pour l'occasion par deux jeunes pleins de zèle ?

Mais non, se sermonne Jos. *On sait que je vais me méfier de nouveaux visages…*

Enfin ! Le pusher n'attendra pas de savoir qui s'est vu attribuer le contrat sur sa tête. Il va fuir.

La nouvelle de sa prochaine élimination a réveillé quelque chose en lui. Depuis le décès de sa compagne Tatou, Jos se saborde, se laisse couler comme le Titanic. C'est fini. Il va redevenir le battant, l'homme respecté de la mafia montréalaise. Hier, tiré des brumes de sa déchéance, Jos s'est préparé avec soin.

Tout d'abord s'occuper de son jeune frère, Fredo, qui l'a suivi sur la pente dangereuse de la consommation. Il lui a fait parvenir six grammes d'héroïne avec instructions de n'en consommer chaque jour que le strict minimum. Aussi, interdiction formelle de s'aventurer hors de la maison de Taglione. Fredo doit simplement attendre un message de son aîné.

Foutu heureux hasard que Taglione soit l'hôte de son cadet depuis huit mois. Taglione est un mafieux indépendant de Montréal – du moins c'est ce que tout le monde croit — respecté et apprécié de toute la mafia. Neutre dans les querelles de clans, personne, et surtout pas les Ciottolo qui tiennent à leur réputation, n'ira lui chercher noise. En tout cas, jamais pour du menu fretin comme Fredo, que l'hospitalier Taglione se fait un devoir de protéger.

À peu près tranquille sur le sort de son frère, Jos s'est inquiété pour lui-même.

Madone ! Que faire ?

Demander de l'aide au parrain Peone, le frère de son père décédé ? Il en a rejeté l'idée à cause de la promesse faite à la Mamma sur son lit de mort : ne jamais travailler pour son oncle, ni lui accorder sa confiance. Il n'en connaît pas les raisons, mais une promesse faite à une mère est sacrée. C'est pourquoi, depuis la fin de l'adolescence, il travaille pour la famille Ciottolo. Cette dernière s'apparente aux Stallone, la famille paternelle de la défunte Mamma qui lui en a ouvert les portes. Les Ciottolo sont une des grandes familles mafieuses de Montréal, avec les Peone et les Brazzi. Juste en dessous de ces élites, il y a bien sûr les Campello, les Roccagelli et les Maldini…

Mais aucun de ces clans ne se mouillera pour venir en aide à un Peone renégat et drogué de surcroît !

En désespoir de cause, Jos s'est résolu à faire appel à l'un de ses clients. Un de ces rares junkies à qui il accepte de fournir un peu de drogue en souvenir du bon vieux temps.

— J'ai mes pauvres, répond-il aux capos qui le fournissent en héroïne lorsqu'ils lui reprochent une accointance indigne de lui, selon eux.

Ce pauvre, surnommé Speedy, est accouru à son appel à l'aide. En échange d'un gramme et de quelques babioles destinées à une nouvelle flamme, Speedy s'est vu chargé de joindre la seule personne susceptible de vouloir et de pouvoir aider le trafiquant : Emma Deschênes.

Clean depuis cinq ans, Emma avait été la compagne de l'ancien client et ami d'enfance de Jos : Serge. Ce dernier, atteint de graves problèmes mentaux, s'était suicidé en détention à la prison de Bordeaux. Emma éplorée décida d'en finir avec sa vie d'héroïnomane et de se livrer aux policiers. Elle avait purgé deux ans au pénitencier de Joliette sans jamais dénoncer qui que ce soit. C'est l'une des raisons pour lesquelles Jos a pensé à elle. Elle est loyale, ne fricote pas avec la mafia, et sa sobriété qui dure l'a fait oublier du milieu.

Devenue écrivaine, Emma aide ses anciens compagnons de galère qui rament encore par de menues oboles, malgré ses revenus d'auteure très modestes. Speedy la croise parfois rue Mont-Royal :

— Elle demande toujours comment tu vas, Jos !

Vague bougonnement.

— C'est presque une ermite…

— Madone ! Une quoi ? Parle pour que j'te comprenne, Speedy !

— Enfin… Elle ne sort presque plus de son appartement. Elle s'y terre comme un lion dans sa tanière… « J'suis plus capable de communiquer avec les gens », c'est ce qu'elle m'a dit la dernière fois où j'l'ai vue rue Mont-Royal. Selon moi, Jos, Emma agit encore comme une prisonnière et…

Jos s'est empressé d'interrompre le punk qui ne s'essouffle jamais de parler :

— O.K. Je sais. J'la connais… Une drôle de fille… Mais tu dois la trouver aujourd'hui… il faut qu'elle me planque pour un temps… Elle le fera en souvenir de Serge… Dis-lui d'être ici avant vingt heures, bien avant… après… ça risque d'être trop tard… Dépêche-toi, Speedy… J'attendrai…

Et Jos attend. Il est à présent presque vingt heures. Étalé sur son sofa, le mafieux se dit que la « drôle de fille » représente tous ses espoirs.

Elle devrait avoir accepté de lui rendre service, sinon Speedy serait revenu lui signifier son refus. Mais le temps avance et Emma tarde. Les tueurs de Ciottolo sont peut-être déjà en route, peut-être déjà dans les escaliers ? Pour la millième fois, au moins, Jos calme par de grandes respirations son cœur affolé.

Il refait mentalement son inventaire ; deux grammes de smack. Maigre butin après les six grammes remis hier soir à Fredo. De plus, on est jour de ravitaillement, où parfois ne lui restent que quelques demi-points. Encore heureux que l'un de ses bons clients, revendeur dans le quartier Saint-Michel, ait remis son achat à sept jours. Les petits pushers de rue, ses clients, n'ont pas écoulé toute leur drogue. Ainsi, Jos a pu aider son frère et payer les services de Speedy. Avec les deux bouteilles de méthadone, ça devra lui suffire le temps de voir venir.

Soudain, une voix chuchote à ses oreilles, comme le glas d'une cloche le jour des Morts :

— Hey, Jos ! C'est moi, Emma ! Pas encore prêt ?

Jos ouvre les yeux. La «drôle de fille» est à moins d'un pas du divan où il gîte.

Comment diable est-elle entrée ? Il s'est barricadé à double tour et deux fois plutôt qu'une ! Grâce à Speedy sûrement. Le punk sur patins à roulettes à qui aucune serrure ne résiste. Devinant sa pensée, Emma hoche la tête :

— C'est Speedy qui a ouvert... il voulait faire ça en silence au cas où...

— Au cas où j'aurais été mort ou pas loin de l'être et que des tueurs soient encore dans le loft ?

Emma reste insensible au sarcasme.

— Il est redescendu faire le guet et... il n'est pas seul...

Jos se raidit :

— Quoi? Qui est avec lui? T'es folle? On ne peut finalement compter que sur soi-même! Si j'avais su…

Rage et colère lui donnent l'énergie nécessaire pour se redresser en position assise, quoique avec difficulté. Cela fait naître dans les yeux d'Emma une lueur de compassion, voire de pitié.

Jos a bien changé depuis cinq ans. Emma, svelte et le teint clair, resplendit de santé. Tout le contraire du mafieux! Pour Jos qui a été son intervenant en thérapie, puis son pusher, c'est dur. Il se voit dans les yeux de la jeune femme; une baleine échouée sur la rive! Quelle honte! Il ne peut presque plus s'habiller seul désormais. Il reste en sous-vêtements ou en robe de chambre toute la journée et ne sort que s'il y est obligé. Le premier client qui se présente lui sert de valet et l'aide tant bien que mal à enfiler un pantalon et un chandail.

Ce soir, il comptait sur l'aide d'Emma pour se vêtir. Idiot! Il le regrette maintenant. Il avait oublié certains airs que prend Emma lorsqu'elle décèle chez autrui une quelconque faiblesse. On dirait de la pitié! Ce qu'il lit dans les yeux de la jeune femme lui pèse et l'humilie.

Elle devine ses pensées mais passe outre:

— Calme-toi, Jos, je t'en prie. C'est Fredo qui est avec Speedy. Il était en bas quand on est arrivés. On n'a rien pu y faire.

Jos ferme les yeux. C'est le comble. *Madone!* Qu'est-ce que son frère vient foutre ici? Il a pourtant reçu ses instructions. Le sang afflue sur le visage de Jos qui bout d'une colère contenue. C'est plus fort que lui. Jos sait qu'on chuchote sur son caractère exécrable, ses silences, son peu de sociabilité, ses colères maîtrisées mais terribles.

— Madone! Lui as-tu dit où on allait? J'espère que non?

— Non. Et il ne m'a rien demandé… mais je ne te comprends pas. Il veut t'aider et il prend des risques. Si les Ciottolo l'apprennent…

Un rire féroce:

— Rien. Il ne risque rien, car il ne sait rien… Ils peuvent essayer de le suivre pour tenter de savoir où je crèche, c'est tout. Son p'tit cul est à l'abri. Le tien aussi si tu t'inquiètes.

La flèche manque son but. Emma fait partie de ces gens qui ne pensent jamais à eux.

— Ils ne vont pas le soudoyer? Ils peuvent essayer de le faire parler?

— J'te dis qu'non…

Ce qu'il pense mais ne dit pas, c'est que la famille prime par-dessus tout chez les mafieux. Mauviette ou pas, Fredo est un Peone. Et les Ciottolo n'iront pas se mettre cette importante famille à dos pour son pauvre imbécile de frère. Ils le veulent, lui Jos, car, un temps proche du parrain Ciottolo, il a été témoin de plusieurs meurtres commandités et de magouilles d'importance. Comme il est un drogué, un être à risque qui peut les vendre au plus offrant, il faut s'en débarrasser! Une élimination de temps à autre, de façon discrète, passe dans le milieu pour un mal nécessaire. Et Jos est dangereux! *Pas Fredo*, se répète-t-il comme pour s'en convaincre; Fredo ne peut rien prouver qui fasse du tort aux familles. On ne massacre plus en série comme au temps d'Al Capone!

Malgré les nombreux termes péjoratifs dont il affuble son cadet, Jos aime son frère. C'est une crapule, un faible, un lâche mais… c'est son frère, et la Mamma le lui a confié.

Jos ne veut pas voir Fredo mêlé à cette sale histoire. Merde! C'est son petit frère. Malgré sa jeunesse passée dans les rues de Montréal entouré de Trudel, de Tremblay et de Gagnon, presque tous issus de foyers éclatés, Jos a hérité de ses ancêtres siciliens le culte de la famille.

Pendant qu'il rumine sur la présence de son frère chez lui alors qu'il le croyait à l'abri chez Taglione, Emma ne cesse de trottiner d'un bout à l'autre du loft. Il la voit ramasser sur le plancher, parmi la jonchée de vêtements qui forment une mosaïque, par ici un bas, par là un chandail, de la même façon qu'on pige dans un tas d'immondices un objet qu'on a perdu; du bout des doigts et en se pinçant le nez.

Pourquoi ces grimaces? Certes, l'appartement est en désordre, mais il est propre. Malgré l'abattement qui habite Jos depuis quatre ans, il garde une certaine fierté. Un de ses clients, accompagné de sa conjointe, fait le ménage du loft deux fois par semaine contre quelques sachets d'héroïne. La pièce sent encore l'eau de Javel du nettoyage de la veille et Emma peut constater qu'il n'y a aucune poussière sur les meubles. Alors?

Le mafieux lui en veut à trente-cinq ans d'en paraître vingt alors que lui, à quarante, en paraît soixante. Et surtout il s'en veut à lui-même d'avoir dû lui demander de l'aide. Lui, un Peone! Devoir sa survie à une ancienne junkie, une femme, une intellectuelle, qui vivote de quelques droits d'auteur misérables sans chercher à augmenter son niveau de vie ou à changer ses fréquentations.

Elle n'a aucune sympathie pour lui non plus, de toute façon. Tout au plus l'aide-t-elle en souvenir de Serge et parce qu'elle considère que c'est son devoir.

Il ne sait comment, il enfile seul son pantalon et prend soin de s'attacher à la taille cette ceinture munie d'une glissière intérieure qui cache ses mille et quelque dollars restants, ainsi que ses deux derniers grammes d'héroïne. La méthadone est déjà dans son sac à dos. Il ne peut s'en procurer d'autre ; les gars des Ciottolo vont surveiller tous les points de distribution en pharmacie. Tous les pushers de la ville seront aussi sommés de ne rien lui vendre. S'il veut de la drogue, il lui faudra en obtenir à l'insu de la mafia.

Tout à ses réflexions, il ne se rend pas compte qu'Emma, penchée à ses pieds, tente en vain de faire monter sur sa cheville enflée un bas récalcitrant.

— Tes bas... impossible de les enfiler...

Jos repousse le bras de la jeune femme :

— Madone ! T'as qu'à couper l'élastique... T'es niaiseuse ou quoi ? Y a des ciseaux sur la table.

Emma reste calme. Elle ramasse les ciseaux et dit :

— Il faut nous dépêcher. Ils veulent ta peau, ces salauds. J'ai un endroit sûr où tu seras à l'abri comme nulle part, mais on ne doit pas me soupçonner de t'aider... tout serait perdu. Je t'en supplie, faut pas qu'on me voie !

Jos renifle l'odeur âcre de sa propre sueur ; la pression martèle ses tempes. De plus, une violente douleur à la nuque lui donne envie de vomir. Ah, toute cette rage, toute cette impuissance en lui. Il voudrait blesser l'écrivaine dans son amour-propre, se défouler sur elle… Peut-être ainsi souffrirait-il moins ? Injustes sont les mots pleins de fiel qui sortent de sa bouche :

— Pourquoi t'es arrivée si tard ? T'espérais que les tueurs seraient passés ? Qu'ils auraient fait leur sale boulot ? T'aurais pu te vanter d'avoir voulu m'aider sans prendre le moindre risque. Tu dois être déçue. On aura de la chance si on réussit à fuir avant qu'ils débarquent.

Ni pointe ni dard dans la réponse d'Emma que Jos reçoit pourtant comme un poing.

— On aurait sauvé du temps si t'avais déjà été prêt. On dirait plutôt que c'est toi qui mets tout en œuvre pour qu'on te trouve. Écoute, Jos…

Il ne saura jamais ce qu'Emma s'apprête à dire, car le bruit d'une galopade dans le corridor ne laisse pas le temps à la jeune femme de terminer sa phrase.

Une tête de gargouille moderne apparaît dans l'embrasure de la porte laissée entrouverte par Emma.

C'est Speedy.

Imaginez !

Des cheveux vert fluo qui s'épivardent par mèches autour du crâne comme les rayons de soleil dans les dessins d'enfants. Un visage pâle presque transparent, pareil à celui qu'on prête aux vampires et qui est l'apanage des junkies de longue date. Des joues creuses qui se rejoignent sous le nez et des paupières bombées au-dessus d'yeux bleus aux pupilles tant dilatées qu'ils en paraissent noirs. Des lèvres minces dont l'une est coupée au centre par un anneau d'or. Des piercings, il y en a partout : au bout du nez légèrement retroussé, sur les oreilles assez pointues pour faire songer aux elfes de Tolkien, sur la langue, en fait, partout où c'est possible sur cette carcasse bardée de vêtements de cuir. Le punk ne déparerait pas la devanture d'une joaillerie. En tout cas, de celles qu'on peut voir rue Crescent.

Et tout ce paysage, car Speedy n'est pas un homme mais un paysage, se trouve haut perché sur une étincelante paire de bottes à talons mauves. Celles-ci remplacent pour l'heure ses patins à roulettes retenus autour de son cou par leurs lacets. Patins que ce marginal enlève rarement. Il lui faut une neige bien épaisse au sol pour se résigner à les porter comme un collier.

Speedy est un volubile. Sa parole coule comme un torrent, les mots s'entrechoquent, son souffle devient court : il ne prend pas le temps de respirer entre deux phrases :

— On vient de voir une auto faire deux fois le tour du bloc. Ils doivent chercher où t'as planqué ton char.

— J'l'ai vendu.

— Pis là y sont en train de stationner.

— On est à pied ?

La voix basse, sans force, provient d'une frêle silhouette qui s'encadre à gauche du punk.

— Mais oui, Fredo, et c'est mieux ainsi. Ils ne s'attendent pas à ça, ils vont surveiller les rues et les grandes artères, pas les ruelles et les cours…

— Mais où on va au juste, Emma ? C'est loin ?

— Toi, tu ne vas nulle part, grogne Jos qui, enfin prêt, le manteau boutonné, le sac à dos sur l'épaule, s'apprête à saisir la clé du loft.

Après un haussement d'épaules, il la laisse là, bien en vue sur la table. Un pied-de-nez lancé aux Ciottolo et au destin.

— Le vieux Sandro Ciottolo est mort…, halète Fredo dans le dos de son frère. Dany est le nouveau parrain depuis deux jours, et le premier ordre qu'il a donné, c'est de te tuer… tu sais comme il te hait.

— Comment tu l'as appris?

— Des hommes sont venus chez Taglione hier… j'les ai entendus parler… Le vieux Ciottolo est mort au restaurant, d'une crise cardiaque…

Et voilà! La mort du vieux lion permet au jeune fauve d'assouvir sa haine envers un ancien camarade qui l'a évincé dans l'estime de son père.

Fredo n'ose croiser le regard de son aîné. Jos passe devant lui et déboule plus qu'il ne descend l'escalier de secours. Son mal de tête empire. *Madone! Le vieux Ciottolo est descendu aux enfers!* Et lui qui gardait l'espoir d'une quelconque entente avec le parrain. C'est vraiment une fuite à mort à présent! Jamais Dany ne voudra négocier d'arrangement avec son ancien rival. Il ne sera satisfait que devant le cadavre de Jos.

Jos court en se dandinant comme un canard. Ses cuisses, trop grosses, se frottent l'une à l'autre. Ridicule à son âge de fuir ainsi à la nuit tombante en compagnie des pires losers qu'il connaisse. Emma, Speedy et son taré de frère! Le punk surtout qui gîte la plupart du temps à la Maison du Père et qui a toujours le ventre creux. Emma, elle, vit la tête dans les nuages, heureuse de noircir du papier, alors que Fredo est un imbécile qui, pour le malheur de Jos, s'appelle Peone.

Madone! Quel merdier! Il a bien l'intention de se ressaisir. Mais il doit d'abord sauver sa peau.

Dehors, des bourrasques de lourds flocons giflent les fuyards. La poudrerie est devenue tempête. Dans la cour gît un bonhomme de neige, sans doute érigé par les enfants du quartier, dont le corps évoque un lutteur vaincu qui n'a pu se relever.

Speedy les pousse de la voix, les houspille, mais leur course est lente. Chaque pas est un supplice. Ils parviennent enfin à une clôture de trois mètres, qui sépare le building où habite Jos de celui des voisins.

Cet obstacle, il faut le franchir ! Speedy lorgne le corps énorme du pusher et affiche un air découragé. Jos surprend ce regard. Par orgueil, par peur, allez savoir, il agrippe la clôture et, dans un effort insensé, parvient à hisser sa lourde carcasse jusqu'au sommet. D'un élan il se jette de l'autre côté, où l'amas de neige au sol l'accueille comme un matelas. Il est passé ! Fredo et Emma suivent eux aussi sans problème. C'est finalement Speedy qui éprouve le plus de souci pour l'escalade ; les lacets des patins qui pendent à son cou s'accrochent au grillage métallique de la clôture et l'étranglent. Jurant, pestant, tel un renard pris au collet posé par un chasseur, il se libère enfin, mais, parvenu au sommet, il perd l'équilibre et chute par terre, les quatre fers en l'air !

Personne ne s'esclaffe devant le punk rouge de honte qui gigote dans la neige. Une seule pensée, un seul but les habite : s'éloigner au plus vite !

Seule Emma sait où ils vont. Elle connaît Montréal comme sa poche. Elle leur fait traverser des cours, des arrière-cours et des ruelles. Un parcours harassant ; le souffle court, la vision limitée à trois pas, et la peur ! Les Ciottolo ont peut-être compris, maintenant, que leurs proies sont à pied. Peut-être vont-ils leur tomber dessus d'un instant à l'autre ! Les fugitifs débouchent enfin boulevard De Maisonneuve, plus morts que vifs. Jos, le visage écarlate, étouffe, au bord de l'apoplexie. Malgré la crudité du froid, l'intérieur de son corps bout. Il enlèverait avec joie tous ses vêtements.

Emma lui chuchote quelques mots à l'oreille. Le mafieux hoche la tête, se détourne de la jeune femme, respire profondément puis scrute les alentours. Il avise un abribus vide et s'y dirige en faisant signe aux autres de le suivre. Il accapare l'unique banc avec un bruyant soupir. Protégés du vent, les fuyards font le point de la situation.

Leur chemin et celui de Speedy se séparent ici. Le punk a déjà pris trop de risques. Il s'est montré téméraire en faisant le guet en bas de chez Jos. On aurait pu le voir! Il ne connaît pas l'adresse du repaire trouvé par Emma et n'aura pas à mentir si on l'interroge, ce qui serait surprenant vu que plus rien à présent ne le rattache à son ancien pusher.

Seule Emma le remercie de son aide. Fredo, à part un bref conciliabule avec Jos, n'a pas pipé mot de tout le trajet et garde les yeux baissés. Quant à Jos, il considère l'aide apportée par le punk comme allant de soi. Il esquisse tout juste un geste désinvolte de la main, une sorte de salut. Sans rancune, Speedy s'éloigne en fredonnant une chanson d'Éric Lapointe. Le mafieux le regarde se fondre dans la tempête comme avalé bout par bout; les jambes d'abord, puis un bras… puis finalement sa crête-de-coq qui flotte un moment: un vert fluorescent mêlé à la blancheur des flocons sur fond de nuit. Cela donne à l'ensemble l'allure sépulcrale d'une âme s'envolant vers l'au-delà. Jos frissonne, en proie à un triste pressentiment.

Le froid pince, le vent cingle, la neige épaisse et lourde recouvre la petite troupe qui a repris sa marche. Emma semble inépuisable mais lorsqu'ils débouchent sur Sainte-Catherine, elle s'appuie contre un mur de brique quelques instants puis hèle un taxi en direction de l'est. Fredo s'assoit à l'avant alors qu'elle et Jos s'installent sur la banquette arrière.

Après quelques instants, où chacun reprend souffle et chaleur, Emma se tourne vers son ancien pusher.

— Je t'emmène dans une planque sûre où tu pourras rester quelques semaines. Un à deux mois peut-être? Pour plus de sécurité, faudra que j'y pieute aussi. Speedy est loyal mais on ne sait jamais. Il peut flancher et donner mon adresse sur Mont-Royal… Alors j'aime mieux changer de piaule et, le temps que tu t'organises, j'ai pas le choix de vivre avec toi. Je m'inquiète juste de savoir si ça va être long parce que j'ai presque terminé mon prochain roman et…

Sec, Jos la coupe:

— Quatre semaines, cinq tout au plus, et j'aurai quitté le pays en compagnie de Fredo.

Il lance un regard fatigué à la nuque courbée de son frère qui somnole.

— Le problème, c'est lui. Y dit qu'un des invités de Taglione lui a volé le smack que j'lui ai fait remettre hier… Ce n'est pas vrai… Taglione fréquente que des crapules de haut vol, pas des voleurs de bas étage!

Car durant leur marche forcée dans la tempête, Fredo s'est de nouveau approché de Jos et a tenté de justifier par un mensonge la perte des six grammes d'héroïne.

— L'imbécile, poursuit Jos… Y voulait épater les junkies du quartier en donnant des doses gratis, ouais…

S'acheter des amis… voilà c'qu'il voulait… le con! Et tout ça sur mon dos. Maintenant Fredo n'a plus de drogue et il m'en reste à peine pour moi-même… Quant à l'argent… Enfin on verra.

Puis se secouant:

— Ta piaule est assez grande pour trois?

Emma s'anime:

— Oh, oui! C'est un grand six et demie, meublé, chauffé et éclairé. Y a de la bouffe pour au moins un mois et on a même le câble et le téléphone.

Jos passe une de ses mains gantées sur sa tempe douloureuse. Le gant mouillé de neige fondue le rafraîchit. *Madone! Quel réconfort.*

— Un six et demie? Toi? La pauvre fille…

— Je n'ai pas d'argent! C'est une gracieuseté de l'un de nos grands peintres du Québec, Molinari, mécène à ses heures. Il possède plusieurs immeubles à logements et a voulu m'en fournir un gratos pour les cinq prochaines années avec tout le mobilier et…

— Pourquoi, alors, t'habites toujours ton taudis rue Mont-Royal?

— Parce que j'ai refusé…

— Quoi? T'es folle! Pourquoi on y va alors?

— Lorsque Speedy est venu m'annoncer que t'avais besoin d'une planque, je suis revenue sur ma décision, enfin en partie… J'ai dit à Molinari que j'acceptais son offre pour quelques semaines seulement… C'est pour ça que j'étais en retard.

Jos la regarde, ébahi. Emma est pour lui un animal d'une espèce inconnue.

— Pourquoi t'acceptes pas les cinq ans?

Puis, une lueur paillarde dans les yeux :

— Il t'a fait une offre peu convenable, ton peintre ? C'est ça, hein ? Y voulait quelque chose en échange…

Emma s'indigne :

— Faut toujours que tu salisses tout ! Jos, on parle ici d'un geste généreux de la part d'un grand homme envers une auteure en laquelle il croit. Il cherche sincèrement à m'encourager comme il en a aidé plusieurs déjà : peintres, écrivains, sculpteurs… beaucoup lui doivent d'avoir pu travailler en paix. Non, c'est par orgueil que j'ai refusé, tout simplement. Et de toute façon, ça me regarde, ce que je décide !

Elle baisse la voix :

— Il a un cancer du poumon, il est en phase terminale… tu sais… il n'en a plus pour longtemps…

La jeune écrivaine s'est raidie aux côtés de Jos. Elle chuchote enfin :

— Foutue société qui se scandalise de la générosité d'un être humain… Foutu monde qui voit derrière tout geste charitable un calcul, un vice, une mauvaise pensée…

Ce que dit Emma, Jos s'en moque. Par contre, il ne digère pas l'idée qu'elle ait pu refuser une offre pareille. Madone ! Un toit décent et gratis pour des années ! Alors qu'elle habite un trou sans téléphone, sans câble ; alors que son frigidaire est vide, et sa bedaine pareil ! Cela dépasse l'entendement. Folle ! Elle est folle et finira probablement dans une ruelle comme un rat. Tant pis pour elle ! Jos, lui, a bien l'intention de profiter de l'aide de la jeune femme, sans aucun état d'âme ; la vie est un combat où il faut être le plus fort.

Bon! Emma fait signe au chauffeur. Ils sont arrivés.

Fredo sort le premier et se courbe aussitôt, frappé par une bourrasque.

Emma, après un généreux pourboire glissé au chauffeur qui se fend d'un grand sourire, pousse à son tour la portière. Devant ce froid, cette neige, ce vent qui rappelle le hurlement plaintif de bêtes sauvages, Jos paralyse soudain sur son siège. Comme un œuf dans sa coquille, un lion dans son antre, un fœtus dans le ventre de sa mère, il ne veut pas bouger. Rester au chaud, ici à l'abri... mourir s'il le faut...

— Qu'est-ce qui t'arrive, Jos? Tu viens ou pas? On gèle!

Emma le regarde, irritée. Ce qu'il est lent!

— Minute! J'arrive...

Jos s'invective. Est-il un Peone, oui ou non? Se ressaisir. Se ressaisir! Il est temps de laisser derrière lui toutes ces sombres années.

Et vu ce qui lui pend au bout du nez, c'est tout de suite qu'il doit changer. Il prend une profonde respiration et s'extrait enfin du véhicule.

La tempête empêche toute vision. En trébuchant, les fugitifs traversent la rue. Quelques pas encore, puis Jos heurte Emma immobilisée devant la porte d'un immeuble. Il devine plus qu'il ne voit la grosse clé – une antiquité – qu'Emma vient de puiser dans ce grand sac de tissu qui remplace de nos jours les sacs en plastique des épiceries et qu'elle utilise comme sac à main. Après quelques essais, la porte s'ouvre enfin.

— C'est au dernier étage. Allez, les gars, un dernier effort!

Un cauchemar sans fin de marches, de paliers étroits qui tournent. Jos s'arrête sur chacun, le cœur près d'éclater, le souffle court. Fredo profite de ces pauses pour retenir son frère par un bout du manteau. Il le supplie :

— Hein, Jos, tu vas m'en donner ? Juste une petite dose avant le coucher sinon j'vais être malade toute la nuit !

Jos, incapable de répondre, le repousse d'un geste las, comme s'il chassait une mouche. Obstiné, le cadet revient inlassablement bourdonner aux oreilles de son aîné.

Enfin, Emma les fait entrer dans l'appartement qui sera leur repaire pour un temps. Le salon est lumineux et une douce chaleur en émane. Jos, complètement épuisé, en pleurerait de soulagement. L'orgueil seul l'en empêche.

Le mafieux reprend lentement haleine et repousse son frère revenu à la charge :

— Ta gueule ! T'auras rien ce soir. Demain seulement... pas avec tout ce que t'as pris depuis hier. Pis, il va falloir que t'acceptes d'être inconfortable quelques jours parce que le stock que j'ai, je l'avais gardé pour moi. Je ne sais pas si tu te souviens, mais je t'ai donné le reste. Comme j'ai du cœur, on va partager entre frères, mais ça va être serré, ben serré !

Jos se tait pour avaler sa salive. Il est peu habitué à parler autant. Il conclut :

— Pour ce soir, par contre, niet ! Même moi, je me couche à sec. Je veux m'en garder un max pour paraître devant le parrain, Giorgio Peone.

— T'as l'intention de voir le parrain ? T'as promis à la Mamma de jamais y demander d'l'aide...

— J'ai changé d'idée! Pas le choix et... la Mamma comprendrait...

Voilà! On n'a qu'à suer la peur pour rompre un serment sacré. Mais il est facile de promettre quand aucune épée de Damoclès ne pendouille au-dessus de sa tête! Si Jos a changé d'avis, c'est qu'il ne peut faire autrement; il a besoin de Peone pour obtenir de faux passeports. Sous leurs vrais noms, son frère et lui seraient tout de suite repérés par les complices douaniers des Ciottolo. Honteux tout de même, tant le parjure à une mère lui semble monstrueux, le mafieux se dit qu'il va prier la Mamma chaque soir. De son bout de ciel là-haut, elle ne pourra que pardonner.

— Elle ne comprendrait pas que tu m'laisses en manque...

Pour commencer, la Mamma ne comprendrait pas qu'il consomme de la drogue, songe Jos.

Madone! Fredo et ses jérémiades! Toujours pendu à ses basques! Il continue de s'accrocher à son aîné, le retient par le bras, par le bout de son foulard... c'est trop! Cette fois-ci, Jos le repousse violemment.

— Fous-moi la paix...

La voix d'Emma s'élève, apaisante:

— Ça suffit! On est tous fatigués. Je vais vous montrer les chambres. Après, peut-être qu'un peu de café...

Sans un regard à son frère, pitoyable loque recroquevillée contre le mur, Jos suit Emma le long d'un grand corridor aux murs lambrissés de bois et au sol composé de petites tuiles aux couleurs chaudes. *Fichu bel appart!* se dit-il.

Sa chambre est très grande, avec des fenêtres qui donnent sur la rue. Un lit double avec une courtepointe et des oreillers moelleux.

— Non, pas de café, Emma. Je me couche tout de suite…

Avant que le sommeil l'enveloppe, Jos soupire. Madone! Entre les élucubrations d'Emma, les geignardises de son frère et la minceur soudaine du fil qui le retient à la vie, il lui faudra trouver comment ne pas devenir fou.

Chapitre II

Jos se réveille dans un matin tout silence. Par la grande fenêtre, à gauche du lit, son regard plonge sur une rue déserte. Lasse des coups de neige reçus la veille, Sainte-Catherine dort sous un lourd édredon blanc que seul le soleil pourra effacer. Mais ce ne sera pas pour aujourd'hui; l'astre solaire a replié ses rayons, comme s'il croisait les bras, et roupille derrière de sombres nuages.

En face, légèrement de biais, Jos aperçoit la devanture de l'herboristerie Desjardins. Un flot de souvenirs l'assaille; il connaît bien la boutique. La Mamma les traînait là, lui et ses frères, une fois par mois, les tirant par le bras comme on tire sur une laisse. Et dans cet antre exotique, la bonne odeur des herbes et des épices leur chatouillait les narines. Le commerçant et sa mère tenaient des palabres à n'en plus finir et c'étaient des chuchotements et des rires entre habitués, le plus souvent des femmes. Que de ragots voletaient au-dessus des bacs de clous de girofle, de gingembre ou de persil! Elle prenait de la place, la Mamma; c'était elle qui parlait le plus haut et le plus fort, son rire chantant d'Italienne s'entendait jusque dans la rue! Parfois ils y rencontraient la Mamma

Ciottolo, aussi maigre et sèche que la mère de Jos était grosse et pleine de vie.

Les Ciottolo ! Le souvenir de ces rencontres freine net la nostalgie du rêveur. Toutes ces années passées à travailler pour eux ! Des années sombres qui l'ont conduit à ce triste dénouement : fuir.

Normalement, c'est pour le parrain Giorgio Peone, le frère de son père, que Jos aurait dû travailler. Selon des préceptes établis depuis des générations dans le clan des Peone, le fils œuvre pour son père, pour son oncle, ou à défaut, pour la famille du côté maternel. Mais, à la mort du père de Jos, retrouvé avec des pantoufles de ciment dans la rivière des Prairies, la Mamma lui avait fait jurer de ne jamais se mettre à la solde des Peone.

— Tu dois travailler pour les Ciottolo, mon fils. Ce sont de vagues cousins du côté de mon père... Mais promets-moi de ne pas travailler pour ton oncle Giorgio ! Jamais !

— Je promets, Mamma. Mais pourquoi ?

Mais la Mamma au corps amaigri, toute petite sur son lit d'hôpital – elle qui avait été si grosse –, s'était éteinte sans lui répondre.

À ce moment-là, Jos attachait peu d'importance à ce mystère. Les Ciottolo étaient des mafieux modernes, aux idées larges, plus puissants d'ailleurs que les Peone engoncés dans des préjugés qui n'avaient plus cours. Par exemple, les Ciottolo s'érigeaient en trafiquants de drogue, alors que la plupart des Peone rejetaient cette idée. Aujourd'hui encore, l'oncle Giorgio devenu parrain résiste aux approches qui lui sont faites pour le convaincre. Il aime à répéter ce que son père disait avant lui :

— Les Peone refusent la souillure de la drogue. On veut rester propres ! Nous, les Peone, avons fait notre beurre grâce aux casinos et aux bars de danseuses, mais notre manne, notre vrai profit, c'est la construction !

Il est vrai que les Peone sont les rois du bâtiment. Ils possèdent plusieurs contacts au gouvernement qui les informent des contrats à venir et acceptent en priorité leurs soumissions.

La tête collée à la vitre, Jos est nauséeux. Habituellement, il a déjà bu sa méthadone et rempli ses veines de smack. Il étire ses membres bouffis et contemple un instant ses mains sans bijoux. Il a toujours adoré les bagues, surtout celles avec de grosses pierres qui en jettent ! Mais depuis deux ans, le volume de ses doigts l'empêche d'en porter. D'ailleurs, il ne les sent plus, ses doigts. Impossible par exemple de les replier pour fermer le poing. Amer, il retire son front de la vitre froide.

Il doit s'exiler. Comme ses ancêtres, menacés de vendettas, prenaient le maquis ! En arriver là ! Jamais, dans sa jeunesse, il n'aurait cru cela possible. Devenir un drogué non plus. La vie de mafioso, vécue avant de se perdre dans le smack, n'était pas celle qu'il attendait. Étrange pour un homme né et élevé dans une famille mafieuse influente et entouré par les gens du milieu ; il aurait dû s'y attendre. Mais non !

Pratique, réaliste, pas du tout rêveur, Jos adolescent n'avait pas été fasciné par les histoires, vraies ou fausses, sur Al Capone, les sanglants Brazzi, le juge Taglione et les Corleone. Il ne les avait pas idéalisés non plus ! Et si la vie aventureuse promise l'était un peu moins qu'à une certaine époque, tant mieux ! D'ailleurs, Jos s'était vite adapté à la véritable vie mafieuse, s'était fondu dans le milieu et y avait nagé comme un poisson dans l'eau. Probablement que la « carrière » de mafioso qu'il avait imaginée ne l'aurait pas comblé autant.

Mais à quoi s'était-il attendu au juste ? Pourquoi avait-il parfois l'impression qu'on l'avait trompé, comme si au lieu de la bague en or de dix-huit carats promise, on lui en avait remis une en toc ?

Jos se détourne de la fenêtre.

Quelle importance tout cela ? L'important est qu'à dix-sept ans, son destin était tracé. Comme le voulait la Mamma, il a proposé ses services aux Ciottolo qui l'ont accepté d'emblée, trop heureux d'arracher à leurs rivaux Peone un membre de leur lignée. L'important était que Jos soit fier d'être mafioso, fier d'être fils et petit-fils de mafiosi.

Intelligent, ambitieux, sans scrupules et travailleur, Jos a si bien gravi les échelons de la hiérarchie qu'à trente ans, il faisait partie de la petite clique intime entourant le parrain. Il était de toutes les décisions, jusqu'aux plus secrètes, connaissait tous les tueurs engagés par les Ciottolo, les dates où ils avaient opéré et les noms de leurs victimes. Les politiciens, les juges, les avocats, les commerçants et les policiers à qui l'on versait des pots-de-vin, tout ce beau monde corrompu, il le connaissait !

N'était-il pas devenu l'ami intime du fils aîné du parrain Ciottolo, Dany ? Du moins l'avait-il été un temps. Car jaloux de l'admiration vouée à Jos par son père qui le traitait, lui, son propre fils, avec mépris, Dany avait entrepris avec succès de livrer Jos à l'enfer de la drogue.

Jeune et naïf, Jos avait cru Dany lorsque, lui faisant sniffer deux ou trois fois du brown sugar, il lui avait assuré que c'était une drogue légère et sans risque... En ce temps-là, Dany l'emmenait tous les jours dans une salle de boxe, boulevard Saint-Michel, un deuxième étage juste à côté du métro. Là, d'anciens boxeurs les entraînaient en amateurs : c'étaient Johnny Parente, Charlie Pozzi, quelquefois Joe-le-catcheur – une célébrité en son temps – et le vieux Tony Cicero. Tous racontaient la belle époque et les combats remportés par untel ou untel, dont on voyait les photographies en noir et blanc collées sur les murs jaunis. La salle était petite, étouffante. Après quelques droites assénées sur le ring pour s'amuser, on voyait surgir les vrais clients ; la plupart, de jeunes Siciliens pauvres qui voulaient percer dans le monde de la boxe. Les vieux caïds s'en servaient comme gardes du corps ou hommes de main.

Puis Dany et Jos faisaient la tournée des bars. Jos croyait tout ce que lui disait Dany, et plus il buvait, plus il le croyait. Le jeune Ciottolo cherchait à l'impressionner en lui confiant quelques secrets de famille. Puis, peu à peu, il l'avait convaincu d'un fait :

— Presque tous les capitaines de mon père prennent de l'héroïne... Ça ne se dit pas tout haut, bien sûr, on évite d'en parler dans les salons... mais c'est la vérité ! Le smack procure un sang-froid sans lequel aucun grand mafieux ne peut tenir le rythme de vie exigeant qui lui est demandé...

En bon imbécile, Jos avait prêté foi à ses dires !

Trois prises avaient suffi. L'héroïne est une drogue à accoutumance rapide. Le premier jour où Jos l'aborda, la sueur au front, pour lui redemander un peu de cette poudre énergisante, Dany exulta. Il avait fait de son rival un junkie. À ce moment-là, Jos avait compris, mais c'était trop tard !

Il ne s'était pas plaint de Dany au parrain Ciottolo. C'était lui-même qui avait été assez stupide pour croire aux histoires de son prétendu ami ! Il n'en était pas fier. Il avoua cependant au parrain être devenu héroïnomane. Pour ne pas nuire au clan, il proposa de partir suivre une de ces thérapies à long terme comme celle du célèbre Portage, une thérapie dite fermée, à l'instar d'une prison. Son choix se porta sur le centre Nuit et Jour.

C'est là qu'il avait rencontré Emma. La jeune femme venait s'y faire purifier les veines sur injonction de la Cour. Il se rappelle avec ironie la fuite de la jeune femme en pleine nuit, et les molosses qui n'avaient pas aboyé. Au centre, Emma avait pour fonction de nourrir les chiens de garde et, ceux-ci, complices involontaires de son évasion, l'avaient suivie un bon bout de chemin, tout joyeux et sans le moindre jappement.

Les aveux spontanés de Jos et sa résolution ferme de s'en sortir l'avaient sauvé un temps de son élimination pure et simple. Il en savait trop, en avait trop vu. Et un drogué est, par définition, un être instable auquel on ne peut se fier.

Le parrain, déçu, avait tout de même accepté de lui laisser sa chance :

— Tu ne feras plus jamais partie de mon cénacle, Jos… même si tu parviens à demeurer sobre des années… tu dois comprendre que je ne peux plus te faire confiance comme avant…

Jos pouvait cependant aspirer à devenir un revendeur de quartier ; celui qui reçoit le stock en provenance de l'étranger, le cède à un dealer subalterne qui, lui, le coupe et le revend à plus petit et ce, jusqu'au simple pusher de rue. C'était dangereux mais très rémunérateur et il n'avait plus beaucoup de choix. Il le savait.

Pendant un moment, tout sembla aller. Libéré de la drogue, Jos retrouva peu à peu ses marques auprès du parrain, qui entre-temps avait appris le mauvais tour joué par son fils à son protégé.

En effet, son charmant bambin s'était mis dans de mauvais draps en appliquant le même traitement à une nièce des Pozzi, sur laquelle il avait des vues. La fille s'était mise à la drogue et la similitude entre les deux histoires avait éveillé les soupçons du parrain. Dany dut se mettre à table. Ce fut terrible ! Le parrain évita de justesse une guerre avec les Pozzi en exilant un temps son fils au pays natal. Il envoya même des excuses à Jos, lui signifiant néanmoins qu'il ne pourrait reprendre sa place pour autant ; quiconque avait consommé ne pouvait être totalement réhabilité.

Jos, de toute façon, avait mûri d'autres plans. Devenu l'amant de la directrice du centre de thérapie, puis intervenant, il avait projeté d'ouvrir plusieurs succursales de Nuit et Jour à l'aide de subventions gouvernementales. Ces centres, sous le couvert de leur mission d'entraide, auraient permis le blanchiment de beaucoup d'argent.

— Sacrée bonne idée, lui confirma le parrain.

Jos triomphait. Pas besoin de jouer les revendeurs le reste de sa vie. Il ne pouvait pas quitter le milieu, mais il pouvait œuvrer pour lui à sa façon.

Mais, ses beaux plans échouèrent. Après le suicide de deux adolescents du centre, une enquête fut exigée et l'établissement fermé. La belle directrice, Diane, grâce à de généreux dons, ne fut pas embêtée par la justice mais dut se résigner à ne plus diriger de thérapies et à changer de domaine. Jos devenait alors un fardeau, elle le quitta donc en toute sérénité. Il vécut là sa première peine d'amour. Cette blessure, plus la perte totale de ses précieux projets l'avaient mené du désespoir à la rechute.

Rechute qu'il dut à tout prix cacher; on pardonne déjà rarement une fois, alors deux…!

Loin du cercle du pouvoir, il lui fut plus aisé de camoufler son vice. Seuls les délégués du parrain, ses deux vieux lions à la retraite qui venaient chez lui deux fois par mois, auraient pu s'apercevoir que Jos se droguait. Mais ils ne s'intéressaient qu'aux bénéfices de la dernière quinzaine et n'avaient de regards que pour les liasses de billets qui s'empilaient sur la table du loft. D'ailleurs, Jos les recevait toujours à peu près clean.

Lorsque le pusher rencontra Tatou, une ancienne danseuse, junkie elle aussi, les dettes s'accumulèrent à cause des cadeaux que Jos aimait lui faire, et du coût de la consommation pour deux personnes. Il s'endetta à un point tel que, même après le décès de sa conjointe, il ne put remonter la pente.

C'était trop tard!

Il savait que le vieux était déçu de sa rechute. Qu'il ne pouvait plus lui pardonner. Jos attendit les représailles avec sérénité. À l'époque, il était si dépressif qu'il aurait accueilli la mort avec gratitude.

Plus aujourd'hui!

Un coup asséné à la porte de sa chambre le tire de ses réflexions. Avant même qu'il puisse répondre, il voit la poignée tourner. Heureusement, il a verrouillé.

Encore Fredo! Fredo qui a dû guetter avec fièvre le lever de son aîné :

— Es-tu réveillé? J'suis malade. Y m'faut un shoot.

— Laisse-moi m'habiller.

Son frère trépigne sur place un moment, puis ses pas s'éloignent dans l'appartement.

— Y en aura pas de facile, se dit Jos en se tortillant pour enfiler son pantalon.

Comment convaincre Fredo de se serrer la ceinture sans criailleries? Les deux bouteilles de méthadone, Jos se les garde. Il peut étirer ses doses sur quatre jours. Ça ne gèle pas, mais ça évite le manque. Il en boit tout de suite une bonne gorgée.

Fredo aura droit au gramme d'héroïne qui reste. Jos étale la drogue sur la table de chevet et la partage en huit petites doses. Il les donnera une à une à son frère qui, sans cette précaution, se shooterait le tout en un rien de temps. Fredo en aura lui aussi pour quatre jours. Il sera légèrement inconfortable, ou le prétendra, mais pas sérieusement en manque.

Il reste au mafieux un millier de dollars, mais acheter de l'héroïne demeure presque impossible. Les Ciottolo ont la main haute sur la vente à Montréal et leur premier geste sera d'empêcher que Jos y ait accès…

Le mieux à faire est de joindre oncle Giorgio dès aujourd'hui, de préférence depuis un téléphone public. Si ce dernier accepte de le rencontrer dare-dare et de lui procurer de faux passeports avant les quatre jours, ils pourront, Fredo et lui, prendre l'avion pour leur île natale. Les cousins Peone qui occupent le domaine familial sont prospères. Une cure de désintoxication à leur arrivée au pays, puis un travail peinard pour la famille, voilà ce à quoi Jos aspire. Une vive soif de revoir la Sicile gorgée de soleil s'empare de lui au point d'humidifier ses paupières. L'idée que l'oncle Giorgio puisse refuser de les aider ne l'effleure même pas. Le frère de son père a le respect de la famille dans le sang !

Jos s'habille en bougonnant. Il a toujours aimé les beaux vêtements, et ceux qu'il enfile péniblement, déjà sales la veille, ne sont plus que haillons. Trop étroits aussi. Pour la première fois depuis des lustres, il s'engueule pour son laisser-aller.

La chambre est claire et vaste, le corridor tout autant, illuminé par de grandes fenêtres que le mauvais temps ne parvient pas à obscurcir. La salle à manger où sont réunis Emma et Fredo, séparée de la cuisine par un pan de mur voûté, s'avère gaie et accueillante. Les hauts plafonds, la table ronde, le buffet de chêne verni et les chaises profondes rembourrées d'un tissu clair, tout cela a un air joyeux.

Pour la centième fois, il se demande ce qui a bien pu pousser Emma à refuser pareil cadeau. Cette attitude le fout en boule. C'est incompréhensible pour le mafieux qui ne considère la vie que sous l'angle de ses avantages matériels.

Une bonne odeur d'œufs et de bacon règne dans la pièce. Jos renifle à pleins poumons comme un dogue affamé à qui l'on a apporté sa pâtée. Sa gorgée de méthadone l'a requinqué. Fini la nausée du manque. Jos a faim.

Il n'en va pas de même avec Fredo qui se plaint de l'odeur :

— J'ai mal à la tête… Cette odeur de friture m'écœure… T'as ma dose, Jos ? Vite… J'crois que j'vais être malade…

Fredo se lève, verdâtre. Il titube vers Jos et saisit avidement la petite dose insérée dans le papier de loto plié en quatre que lui tend son frère. Prestement, Fredo sort de sa poche une seringue emballée.

— Pas ici, Fredo, lance Emma. Fais ça dans la salle de bains. Y a cinq ans que je ne consomme plus. Je ne veux plus rien voir de cette saloperie.

Fredo se précipite aux toilettes. Il en revient aussitôt, furieux :

— Hey ! Jos ! Y a même pas un demi-point de smack ! Donne-moi en plus !

Jos a prévu la scène. Il explique donc à son cadet, calmement, qu'il doit se satisfaire de ce qu'il a. Il aura une autre dose au coucher et ainsi de suite pour les quatre prochains jours.

— C'est trop peu, Jos ! T'as d'l'argent, je l'sais. On a juste à en acheter.

— O.K. Fredo et OÙ ça et à QUI est-ce que tu penses qu'on peut en acheter ? Les Ciottolo tiennent le marché, et d'ailleurs, on ne peut pas se montrer…

— Et Emma, elle ?

Jos se retient de gifler son cadet. On peut accepter l'aide discrète d'une femme pour sauver sa peau, comme il l'a fait, mais on ne l'envoie pas en plein feu juste pour assouvir un vice.

D'ailleurs, les petits pushers de rue ne connaissent pas Emma et refuseront de lui vendre du smack. Les rares qui trafiquaient déjà à l'époque où elle consommait, ceux qui ne sont pas encore morts ou en tôle, feraient vite le lien entre la réapparition d'Emma dont on sait qu'elle était la compagne de Serge, l'ami d'enfance de Jos Peone, et le pusher justement en fuite et probablement en manque! Les Ciottolo seraient au courant dans l'heure! C'est à tout cela que songe Jos, les poings serrés sous la table, furieux de l'inconséquence de son frère; mais comme il n'a jamais appris à faire de longues phrases, il se contente de répondre sèchement:

— Ta gueule! Tu prends ce que je te donne, tu ne bouges pas d'ici, pis tu laisses Emma tranquille.

— C'est trop peu, j'te répète, Jos, j'vais être malade! Donne-moi au moins d'la méthadone.

Jos se lève et s'approche de son frère. Celui-ci recule.

— Tu viens de flamber six grammes d'héro en un jour pis tu veux aussi ma part?

Son poing énorme s'approche du frêle menton de Fredo qui capitule et se retire dans la salle de bains.

Emma dépose une assiette pleine d'œufs devant Jos. Aucun remerciement! Dans le milieu, on n'envoie peut-être pas les femmes au feu, mais on en use comme servantes sans le moindre scrupule!

Ce n'est pas par servilité qu'Emma a cuisiné pour eux. Ça ne la dérange tout simplement pas. Son esprit est ailleurs. Pour l'instant, elle s'imbibe de l'atmosphère de drame qui couve autour d'elle. Jusqu'au temps qui semble diffuser une poésie mystérieuse avec son horizon opaque, ses nuages bas, le lourd silence de la rue. Et ces deux frères si différents, physiquement comme moralement. Alors qu'elle regarde Jos et son gros corps suant, empoisonné par la drogue, il lui vient une pensée comique. Elle imagine un petit animal qui lécherait la main du pusher et tomberait raide mort, intoxiqué par la sueur pleine de drogue du mafioso. Elle retient un fou rire et se contente de dire, entre deux bouchées :

— On ne dirait pas que c'est ton frère. Il ne te ressemble pas du tout.

En effet. Jos ressemble à un de ces bonshommes en plastique gonflé, à la mode pour la période des Fêtes. Laids à pleurer. De monstrueux émules de père Noël ou de bonhomme de neige, énormes, hideux et bouffis, caricatures qui trônent devant les maisons.

Il est vrai que le pusher a des kilos en trop depuis bien longtemps. Emma le revoit, court et trapu, la bedaine par-dessus le jean, alors que, intervenant du centre Nuit et Jour, il paradait dans le salon bleu.

Fredo est tout son contraire ! Frêle de partout, un petit corps malingre, des mains fines… Un visage délicat paré d'un minuscule nez en trompette qui lui donne un air sournois. De minuscules yeux ronds trop écartés et, si haut placés qu'on dirait son visage sans front ! Et derrière ce physique chétif, on devine que tout est aussi maigre : des objectifs sans ambition, des idées étroites…

Les Ciottolo auraient bien voulu se passer de Fredo lorsqu'ils ont accepté Jos, mais on ne laisse tomber personne dans la famille ! On s'en était donc servi un temps pour effectuer de petites commissions sans importance.

Jusqu'à ce que Taglione l'emploie comme serveur dans l'un de ses restaurants rue Prince-Arthur. Jusqu'à hier, Fredo y travaillait depuis quinze ans, fier de ses pantalons noirs, brillants, et de sa chemise immaculée. Il s'est d'ailleurs enfui avec ces vêtements, aussi bravache qu'un soldat en uniforme.

Imbu de sa personne, il a usé de sa parenté avec les prestigieux Peone et Ciottolo pour tracasser les employés. Il s'est permis des engueulades, dont il était fier, mais qui faisaient rire de lui dans son dos. C'est qu'avec sa voix aussi frêle que sa personne, il couine comme une souris, même dans ses pires éclats.

Emma n'aime pas Fredo. Elle comprend mal que Jos soit si clément envers lui. Elle ne lui fait pas confiance, le croit capable du pire. Enfin, ce ne sont pas ses affaires. Elle préfère changer de sujet. Comme Molinari, le peintre qui lui a prêté le logement, se montre curieux de rencontrer les amis d'Emma et que sa santé lui interdit les déplacements, la jeune femme demande à Jos s'il veut venir avec elle le visiter dans l'après-midi.

— C'est O.K. si mon oncle ne peut pas me voir aujourd'hui. Faut que je l'appelle avant. Mais… c'est un drôle de bougre, ton peintre, qu'est-ce que je pourrai bien lui dire, ou Fredo encore ! Les peintres, les artistes, j'y connais rien…

— Il est italien comme toi. Peut-être avez-vous de la parenté en commun ?

— Ça m'étonnerait…

— Il est génial. Tu verras. Tu te rappelles le film sur César qu'on a vu avec Serge et Tatou ? Il a le nez pareil, comme un faucon, sauf qu'il a beaucoup de cheveux, ébouriffés comme ceux d'Einstein, alors que César était chauve.

Jos grommelle. Il est déjà inconfortable et transpire comme un porc. Son corps, habitué aux engourdissements de la drogue, se rebelle d'avoir été si peu rassasié. Il se lève péniblement. Ses mains tremblent.

— Où est-ce qu'il y a un téléphone public ? Impossible de téléphoner d'ici. On ne sait jamais…

C'est Fredo qui, de retour de la salle de bains et les yeux brillants, répond :

— J'en ai vu un par la fenêtre de ma chambre, à trois pas d'ici. J'y vais avec toi ?

Fini les geignements. Il opte pour la servilité. C'est ce qui réussit le mieux avec son aîné. Ce dernier accepte et bientôt, par la fenêtre du salon, Emma voit les deux frères se fondre dans la grisaille. On dirait Laurel et Hardy ! Jos se dandine avec effort, alors qu'à ses côtés Fredo semble sautiller. Cette image, drôle en soi, ne fait pas sourire la jeune femme. Habitué aux extrêmes, à toutes sortes de dangers, l'esprit d'Emma est prompt à assimiler ce que, il y a quelques années, elle aurait eu peine à envisager. Elle n'oublie pas que la vie de Jos est gagée et qu'elle se jouera dans les prochaines semaines.

Jos parvient à joindre le parrain Peone à son quartier général, le café du Sportif, après un appel infructueux à sa somptueuse résidence. L'oncle, bien sûr, est déjà au courant :

— Tu es dans un fameux pétrin, le grand.

Sa voix exprime la satisfaction de celui qui a toujours prédit des malheurs et qui les voit enfin arriver ! Il poursuit :

— Tu as besoin de mon aide, je parie ? Des papiers pour le pays ?

— Oui. Pour Fredo aussi. Le plus vite possible. De l'argent aussi, ça aiderait…

— Viens me voir après-demain au café. Impossible de se voir avant.

— J'amène Fredo?

Non, l'oncle ne veut pas voir Fredo.

Ce n'est pas ce que Jos espérait. Après-demain, c'est loin. Il devra faire durer au max sa méthadone. Il doit être en forme devant le parrain qui déteste la drogue et les junkies. Ne rien prendre demain, quitte à subir l'inconfort du manque, puis s'accorder une pleine bouteille juste avant son rendez-vous. Après? Bien, on verra. Tout dépendra de la rapidité avec laquelle l'oncle obtiendra les faux passeports. Peut-être les aura-t-il sur lui dès leur rencontre? Peut-être auront-ils aussi un billet d'avion pour le même jour?

Sinon... et bien... ils devront à tout prix se procurer de la drogue. Il faudra se soutenir jusqu'au départ. C'est sûr que, dans le temps, Emma connaissait quelques pushers indépendants. Peut-être opèrent-ils encore?

Tant de peut-être... Jos se sent las, à la limite du sevrage, et une angoisse grosse comme un poing lui noue le ventre. Et voilà que le temps des quelques pas qu'il leur reste à franchir pour atteindre la porte de l'immeuble, son cadet se remet à geindre. Il exprime tout haut les craintes secrètes de son frère, mais s'attribue à lui seul les souffrances à venir comme si Jos n'était pas comme lui dépendant à l'héro.

— J'suis trop malade, Jos. S'il te plaît! Donne-moi juste une gorgée de méthadone. Avec c'que tu m'as déjà donné et qui m'a rien fait, j'pourrai peut-être survivre!

La fatigue, la faiblesse de son aîné, il la flaire. Jos n'a plus la force de s'emporter contre lui. Fredo supplie donc de plus belle ; il s'accroche au lourd poncho de Jos qui le camoufle entièrement. Emma l'a ainsi affublé pour éviter qu'un quidam le reconnaisse. On n'est jamais assez prudent !

À ce moment, un rayon de soleil frappe le visage de Fredo. L'astre assoupi s'est retourné dans son lit de nuages, allumant le temps d'un éclair la blême figure du jeune homme. Puis le ciel redevient sombre.

À l'instant de l'éclaircie, Jos a reconnu cette lueur affolée dans le regard de son compagnon : une angoisse bien précise, née d'une histoire commune aux deux frères, et devant laquelle l'aîné s'est toujours courbé.

— Tu l'auras, ta dose, petit frère. Je te donnerai même le reste de cette bouteille demain, avec ta part de smack, mais je dois me garder la dernière bouteille pour mon rendez-vous avec oncle Giorgio. O.K. ?

Fou de joie, Fredo s'élance dans l'escalier et avale les marches deux par deux. Arrivé tout en haut, penché sur la balustrade, il presse son frère comme un enfant capricieux :

— Vite. J'suis pus capable d'attendre !

La rage revient et submerge Jos. S'il n'y avait eu cette lueur… On n'use pas impunément de la patience du pusher.

De la fenêtre du salon, Emma a assisté à la pantomime, en a deviné le sujet et la conclusion. Elle s'assoit devant la petite table où repose son portable, pianote sans conviction sur le clavier, se relève, se rassoit…

Non mais, quelle idiote ! Encore une fois, elle joue à la Mère Teresa ! Jos n'est qu'un sale dealer, après tout.

Il a bien cherché ce qui lui arrive. Elle n'éprouve aucune sympathie envers lui, n'en a jamais éprouvé. Un ambitieux sans scrupule, rien de plus!

Et voilà que pour lui Emma joue sa vie et prend des risques. Des risques insensés! De plus, elle néglige son ouvrage. Depuis des jours, elle n'a pas travaillé sur son manuscrit! Elle a accepté d'utiliser le logement au préalable refusé, ce qui blesse son amour-propre; pire que tout, elle est témoin de la consommation de drogue des deux frères. Même clean, elle subit les affres de la tentation.

Emma entend la course effrénée de Fredo, ses appels pressants et la lourde montée de Jos.

Quelle imbécile vraiment! Fait-elle cela en mémoire de Serge qui avait une haute opinion de son camarade? Non. Toute sa vie, elle s'est mise dans des situations impossibles pour venir en aide à quiconque le lui demandait! Elle se prend la tête à deux mains. Elle est folle, il n'y a pas d'autre explication. Pourtant sa nature est tissée d'idéal et d'abnégation. Encore une fois, elle ira jusqu'au bout, fidèle à l'engagement pris envers Jos.

— Wow! As-tu vu le salon, Jos? Y est super-beau! Ben plus beau en plein jour!

Le regard de Fredo s'attarde sur l'ordinateur tout neuf qui trône sur le bureau en bois d'ébène. Le large écran plat, l'imprimante à multiples fonctions et la réserve de cartouches d'encre, tout cela allume la convoitise dans son regard. Emma devine en lui des idées de vols:

— Il ne faut toucher à rien, Fredo. Ce n'est pas à moi et encore moins à toi. Je tiens à rendre à Molinari son logement intact et les objets avec!

Avachi dans un grand fauteuil, Jos est indifférent à tout. Une sueur épaisse, malsaine, lui couvre le front.

Emma s'avance vers lui, inquiète :

— Seras-tu capable de rencontrer le peintre ?

— Ouais. Pas de problème. Mais après, faudra que je reste couché jusqu'à après-demain. Le parrain ne peut pas me voir avant, pis il va me rester juste une bouteille de méthadone. Faut que je la garde. Il y a aucun narco- tique ici dans la pharmacie ?

— Non, Jos. Je croyais que tu avais deux bouteilles…

Elle regarde Fredo d'un œil mauvais. Ce dernier fait mine de rien. Effronté, il demande plutôt à son frère de le suivre dans la chambre. Emma sait bien pourquoi mais ne comprend pas, ça non. Un tel sacrifice de la part de Jos. Cela ne lui ressemble pas, mais alors pas du tout.

Jos, lui, sait bien pourquoi. Tout se résume à un sou- venir pire qu'un cauchemar.

Jos allait alors sur ses vingt ans. À cette époque, son travail pour les Ciottolo consistait surtout en sur- veillance. Il fréquentait les cafés, les salles de billard et de poker, une liste de noms en poche. Qui faisait quoi, où, quand et avec qui ? Il devait le découvrir. Jeune et encore inconnu des malfrats, il s'acquittait facilement de ce job payant.

Puis, il y eut ce qu'on nomme dans le milieu « son baptême du feu ». On voulut évaluer sa maîtrise, son sang-froid et sa fidélité au clan. On lui confia sa première mission délicate. Menacer – oh, bien gentiment – un gros dealer travaillant pour les Ciottolo. Le trafiquant en question recoupait la came déjà préparée par les spécia- listes de la famille avec de la saloperie d'éther. Résultat ?

Les usagers de son secteur mouraient en série ! D'accord, les héroïnomanes, il en crève fréquemment, mais… plus lentement… beaucoup plus lentement.

Bref, Jos n'était pas utilisé pour un règlement de comptes, mais pour son préambule…

Un bras droit du parrain, Cenci, avait choisi pour Jos un mentor, un professionnel auquel le novice devait obéir au doigt et à l'œil. Ce charmant acolyte – Jos l'apprit avec une certaine appréhension – avait pour nom John Rina, dit l'Araignée tueuse !

— Tu verras, c'est un pro !

Le pro est venu chercher Jos chez lui. Ils devaient se déplacer en autobus et en métro. Le point d'arrivée était l'un de ces gros immeubles que, de l'autoroute 15, on distingue encore très bien de nos jours : celui avec une immense affiche où s'inscrivent les mots À LOUER et qui, depuis des années, fatigue les conducteurs.

L'immeuble, vieux et sombre, était hanté. Il abritait d'anciennes filatures, des manufactures avec des restes de stock dans chaque pièce. On y entendait des bruits inquiétants, des glissements, des frottements… comme dans ces inextricables forêts amazoniennes où tout bouge et où on ne voit rien ! En pleine métropole, un tel lieu étonnait.

John Rina était là comme chez lui. Il s'est arrêté devant l'escalier de secours en métal branlant, dans la ruelle entre l'immeuble et un vieil abattoir. Là, il a sorti d'un grand bac en fer une batte de baseball camouflée sous des sacs verts et l'a glissée sous son long paletot.

Jos a eu peur. Pourquoi cette arme ? N'allait-on pas juste menacer le dealer ? Seulement lui rappeler de régler ses comptes avant la fin de la semaine et de fournir de la came propre? S'il n'obtempérait pas, O.K., il y aurait des représailles, mais ce n'était pas Jos qui s'en chargerait ni son mentor. Du moins, c'est ce que Tatiana avait dit.

Jusqu'ici, comme un enfant, il avait joué au caïd. Il savait que le meurtre faisait partie des mœurs du milieu mais ça demeurait pour lui une abstraction. Les tueries, c'était dans les romans ou dans les films... Pour la première fois, il prit pleinement conscience de son milieu et de ses exigences. Pourtant son père et l'un de ses frères avaient bien été assassinés, non? Alors, à quoi s'attendait-il?

C'était sérieux, il l'avait toujours su. N'empêche. Aujourd'hui, il ne devait y avoir aucune violence. De cela, il était certain. Il avait tout entendu lorsque Tatiana avait donné ses instructions.

Il a donc agrippé le bras de ce fou de John:

— Pourquoi tu prends ça?

— T'as pas à poser d'questions. Ta gueule, pis suis-moi.

Jos n'était pas de taille. Devant les yeux durs de son mentor, il avait baissé les siens. L'autre en imposait et dès qu'on le lui avait présenté, il s'était senti mal à l'aise.

C'était la veille de leur mission au parc Beaubien, près du terrain de jeu des chiens. Un jour laid au ciel gris et bas. Une pluie lourde comme de longs filets de bave s'insinuait partout et donnait la fièvre. Jos avait vu John s'avancer sur le sentier. On aurait dit une araignée: des bras démesurés, recourbés comme des mandibules et qui descendaient le long de jambes courtes et maigres, le corps voûté. On l'aurait imaginé sans peine se penchant un peu plus et se mettant à glisser furtivement sur le sol.

John avait tout de l'insecte. Sa tête énorme et ronde ballottait sur ses épaules. Pas de cou. Pas de lèvres ni de nez, ou si peu. Mais de grands yeux fixes et méchants, tellement écartés qu'ils faisaient soupçonner la présence d'un troisième œil sous le large méplat de peau qui les séparait. Les cheveux tombaient en deux mèches raides sur le devant du crâne telles des petites antennes. Cet homme avait un corps difforme, anormal, et Jos n'était pas loin de penser qu'il en allait de même pour son esprit.

Au lendemain de cette rencontre, devant l'immeuble lugubre et ces yeux sans âme qui le jaugeaient, Jos préféra suivre sans proférer un son. Il ne devait penser qu'à la réussite de cette première mission.

Si pour cela il devait suivre ce démon, il le ferait!

Il lui emboîta donc le pas dans l'interminable escalier en colimaçon. Les marches grinçaient de façon inquiétante et Jos tentait de se rassurer, le regard rivé sur la main arachnéenne qui, devant lui, s'accrochait à la rampe.

L'homme est un professionnel. Il a pris l'arme au cas où! Voilà ce que se disait le jeune mafioso d'alors, ce qu'il se répétait durant la pénible ascension. C'était une prière, une incantation.

Puis, ce fut une enfilade de pièces sombres, et, au bout d'un couloir labyrinthique, un trou noir et béant. Surgirent des portes de métal à double battant sorties de leurs gonds. Il fallut les enjamber. La pièce dans laquelle ils entrèrent était plongée dans l'obscurité; seule une tiède clarté filtrait des lucarnes étroites et crasseuses. On aurait dit l'antre d'un ogre.

Dans le fond de la pièce, une petite lampe à piles, posée sur une table branlante, diffusait un peu de lumière. Un chaudron reposait sur un réchaud à alcool ; un homme maigre était penché dessus, tel un alchimiste sur ses mystères. Il ne se redressa pas à leur arrivée mais un comparse, petit et trapu, tout en muscles, s'approcha de lui jusqu'à le frôler, une main sur la hanche. On devinait, sous la boursouflure du pantalon, une arme.

Ce fut bref.

Rina s'approcha comme pour parler à celui qu'on devinait être le chef et, aussi rapide que l'araignée, sortit la batte de sous son manteau et en asséna un coup violent sur le crâne du garde du corps. Avant que le dealer puisse esquisser le moindre geste, il reçut le même traitement. Puis, Rina frappa, frappa, frappa... alors même que les deux corps, tombés l'un sur l'autre au sol, étaient évidemment sans vie.

De grosses noix de coco trop mûres qui éclatent sous un soleil brûlant ! Voilà ce à quoi, étrangement, Jos pensait. Il en restait pétrifié, incapable du moindre geste. Soudain faible, il sentit ses jambes trembler sous lui comme des voiles sous le vent. Une sueur froide glissa sur sa nuque. Il fut pris d'une violente nausée.

Un son étrange, un long hululement produit par la gorge d'une autre personne, le sauva. Un être terrorisé qui avait perdu tout contrôle de ses sens ; ce qu'une odeur soudaine d'urine et de merde, suivie du son de la chute d'un corps, confirma.

Jos comprit en un instant de qui il s'agissait et son sang-froid revint du même coup.

C'était Fredo qui, à l'époque, devait avoir douze ou treize ans. Fredo qui adulait son grand frère et l'avait suivi. Depuis longtemps, le cadet guettait l'occasion de voir son aîné se déplacer sans sa bagnole. Car Fredo rêvait d'assister à quelque escarmouche chevaleresque entre son aîné et un rival. Au moment crucial, son frère en mauvaise posture, Fredo rêvait d'apparaître comme un héros et de sauver son aîné de la mort. Après ce geste de bravoure, Jos n'aurait d'autre choix que de l'inclure parmi les intimes du capo du quartier dont il faisait partie.

Ce jour-là, il avait été facile pour Fredo de suivre Jos et son mentor. Plus facile qu'il ne l'aurait cru. Mais cet homme étrange, tout en pattes et aux yeux méchants, qui collait à son aîné, n'avait rien d'un Lancelot et l'immeuble sordide n'avait rien non plus du château de ses rêves. La réalité était venue le frapper avec violence.

Après un coup d'œil de défi à Rina – celui-ci, sa triste besogne achevée, ne rabaissait toujours pas la batte ensanglantée et semblait évaluer la situation –, Jos se pencha sur Fredo :

— C'est mon frère. Pas de problème, je m'en occupe.

Recroquevillé en position fœtale, le garçon gémissait. Rina, comme avec regret, dut décider que Jos avait passé l'épreuve puisqu'il se mit à essuyer soigneusement le manche de la batte à l'aide d'un mouchoir. Il jeta ensuite l'arme sur les corps et se dirigea tranquillement vers la porte en lançant :

— Traînes pas, le jeune. Emmène ton frère le plus vite possible et arrange-toi pour qu'il ne cause pas d'emmerdes. T'as été O.K. Tu sais encaisser.

— Tu m'aurais tué sinon ?

Rina fit celui qui n'avait rien entendu, mais ajouta, en désignant Fredo :

— Pour lui, j'suis obligé d'faire un rapport... Je sais pas c'qu'y vont décider.

Puis Rina sortit de la pièce et de la vie de Jos. Il apprit plus tard que le tueur avait été exécuté à son tour lors d'un règlement de comptes orchestré par les Ciottolo, une méchante affaire qui fit beaucoup de bruit.

Sortir Fredo de l'immeuble maudit fut un vrai calvaire. Le gamin restait obstinément en boule sur le sol, refusant de partir. Jos n'en menait pas large non plus. Il lui fallut un temps fou pour réussir à traîner son cadet en lieu sûr.

Fredo mit plus d'un mois à oser sortir seul, et six à ne plus faire de cauchemars. Pour sa part, Jos entend encore aujourd'hui dans ses rêves le craquement sinistre des crânes qu'on défonce.

En haut lieu, on ne lui reparla de rien. Aucun commentaire, aucune question concernant Fredo. On sembla cependant lui accorder davantage de confiance; il avait fait ses preuves, c'était un dur. Mais une question le tarauda longtemps: allait-on lui ordonner un jour d'abattre quelqu'un? Que ferait-il alors?

Jamais on ne le lui demanda.

Bref, depuis ce baptême du feu, Jos éprouve envers son cadet quelque chose comme de la culpabilité. Fredo, qui le sait fort bien, n'a qu'à prendre de temps à autre une pose de victime pour que son aîné succombe aux remords.

Depuis ce jour aussi, Jos devine, déchiffre immédiatement dans le regard d'un être, si celui-ci est un tueur, s'il est un de ceux qui ont franchi la ligne qui sépare l'homme de la bête.

Chapitre III

La résidence du peintre est à deux pas, ou plutôt deux immeubles, du logement des fugitifs.

Emma enveloppe Jos du vaste poncho brun qui a déjà servi pour l'appel téléphonique, et lui entoure le cou et le visage de foulards ; il a l'air d'un saucisson avec des yeux. Jos grommelle :

— C'est à côté !

— On ne sait jamais. Mieux vaut que personne ne te reconnaisse.

— Y a pas de danger !

Emma aurait bien voulu que Fredo les accompagne. Le laisser seul au logement la tracasse mais ce dernier, rendu paresseux par la drogue, préfère *knowder*. Son frère, presque en état de manque, n'a pas l'énergie de le contredire.

Coin Darling et Sainte-Catherine trône une ancienne banque. L'intérieur de l'édifice a été reconverti en atelier-résidence, mais l'extérieur est resté tel quel, les enseignes en moins.

Au rez-de-chaussée, où se côtoyaient guichets et bureaux, tout a été enlevé. C'est maintenant un vaste atelier, complètement vitré côté ouest. Sur les trois autres murs, des toiles sont exposées. La chambre forte d'origine, que leur ouvrira plus tard le peintre, conserve ses plus beaux trésors ; ses meilleures peintures ainsi que des œuvres de quelques grands maîtres. Molinari réside à l'étage : quatorze grandes pièces en enfilade et une magnifique terrasse qui surplombe la ville.

Des plus récents tableaux de Molinari, le mafioso retiendra les couleurs : beaucoup d'orange et de vert, et les formes, triangles ou barres. De la composition, notamment la mise en couleurs de vers de Gaston Miron, Jos ne se rappellera que les espaces blancs entre les strophes réalisées avec des teintes vives. Il retiendra surtout que le malaise qu'il a toujours ressenti face à des gens d'une espèce aussi différente de la sienne – il n'ose penser supérieure – s'est effacé devant Molinari.

Ils sont tous les deux italiens. L'Italie, comme bien d'autres pays, a donné au reste du monde des hommes de génie : des conquérants, des philosophes, des peintres, des musiciens… Une abondance de créateurs et d'hommes de bien, certes, mais aussi une flopée de truands, dont la mafia est le principal employeur.

Et puis, Jos et le peintre se trouvent être, aux yeux d'Emma, les représentations de deux extrêmes, deux univers complètement opposés ! Mais comme les contraires s'attirent, le mafioso et le peintre se comprennent d'emblée, là où ça compte, sans avoir échangé beaucoup de paroles.

Jos s'incline d'instinct devant le génie. Il éprouve la fierté que tout homme ressent face à un compatriote qui a su, par son talent et ses œuvres, déverser sur le reste du monde la grandeur de son pays d'origine. Quant à l'artiste, s'il réprouve le genre de vie de Jos, il comprend l'homme.

Le peintre est maigre, d'allure austère. Sa chevelure ébouriffée auréole sa tête. Le nez est fort, recourbé vers ses lèvres minces, tel le bec d'un faucon. Mais ce sont les yeux, pétillants et clairs malgré le grand âge, qui retiennent l'attention. On y devine une intelligence peu commune.

Molinari est affalé sur une chaise roulante d'hôpital. Un tube respirateur sort de ses narines et rejoint une bonbonne d'air sur roulettes qui repose à ses pieds. Une digne infirmière aux cheveux rares et blancs ne quitte pas le malade et à tout bout de champ déplie le tube qui a tendance à s'enrouler empêchant l'air de circuler.

— Cancer du poumon en phase terminale, a chuchoté Emma à Jos.

Et tout le temps qu'a duré cette première visite, le peintre, qui se sait mourant, a scruté Jos de ses yeux perçants, sans dédain, sans arrogance. Il sait pourtant qui est Jos et de quel moule il sort, mais les préjugés n'ont aucune prise sur lui.

— Je me devais de lui dire la vérité à ton sujet, Jos. Pas question de lui jouer dans le dos, avait prévenu Emma.

Molinari regarde Jos comme un semblable qui en est arrivé, lui aussi, à régler ses comptes ici-bas. Et dans le regard qu'ils échangent ce jour-là, il y a entre le peintre et le fugitif quelque chose d'intuitif. Jos, un froid soudain à l'âme, se demande alors si, pour lui comme pour le grand homme, c'en est bientôt fini de la vie.

La présence d'un grand banc d'église en noyer finement sculpté, déniché on ne sait où par le peintre, remue aussi le cœur de Jos, mais pour des raisons différentes : un rappel de sentiments lointains.

Devant ce banc d'église trône un buffet du même bois, qui contenait probablement il y a quelques années le vin de messe et les hosties ; il dégage encore une odeur d'encens et ramène Jos à des souvenirs d'enfance, à son sang de Sicilien, de natif de Palermo que le comte Roger a rendu catholique il y a des siècles.

Petit bout d'homme, Jos avançait dans la nef de l'église vers l'autel sacré pour accomplir le rite de sa première communion.

L'arrivée à Montréal lorsqu'il a huit ans... Ce coffre qu'ouvre la Mamma et qui contient de la terre volcanique, un lit de terre où reposent des graines de violettes, de celles qu'on ne trouve que sur les flancs de l'Etna et que la mère de Jos compte bien faire pousser dans son nouveau jardin. Ce grand jardin derrière la vaste demeure qu'ils ont achetée boulevard Rosemont à une payse retournée en Sicile.

Les dimanches où, engoncés dans des habits sombres qui faisaient rire leurs camarades québécois, lui, ses frères, ses parents et tous les oncles et tantes avec leur marmaille assistaient aux rites catholiques de la belle église Notre-Dame, et ressortaient en colonnes de fourmis pour aller banqueter chez le vieux parrain Peone, grand-père de Jos.

Toute la famille y venait et les jeunes Peone – une ribambelle de petites têtes bouclées – aimaient se tenir derrière les grands fauteuils de la pièce qu'occupaient les vieilles tantes vêtues de noir. C'était pour en rire à leur gré. Elles avaient des voix haut perchées, des gestes amples, et leurs chevilles gonflaient au-dessus de leurs bas de laine noire.

Au fond, les bambins craignaient ces vieilles femmes aux traits durs, aux visages si bruns qu'ils paraissaient sales. Plus d'un parmi les jeunes cousins tremblait à l'écoute des histoires qu'elles se racontaient ; des histoires terribles de vendettas.

Il y en avait une, maigre celle-là, et encore plus âgée que les autres, qui ponctuait régulièrement les discussions par cette affirmation :

— Moi, mes ancêtres Pozzi étaient les plus forts de l'île. C'est qu'ils venaient de Taormina ! Et là, c'est l'Etna qui les regardait de haut ! Et, avec sa crinière de feu, le volcan savait faire bouillir le sang de nos hommes !

Ni le monde moderne ni leur nouveau pays ne comptaient pour elles ; la référence restait Messine, Palermo à laquelle on accédait encore par la porte de la Mer, et les petits villages côtiers où seules les chèvres trouvaient à brouter.

Jos se secoue pour revenir au présent, s'emmitoufle dans le poncho et, en compagnie d'Emma, retrouve la neige lourde et mouillée, le froid et la peur.

Enthousiaste, Emma ne cesse de répéter :

— Tu as vu, hein ? Tu as vu ? C'est un être génial, un grand peintre. Tu as vu son atelier ? Ça sent bon la peinture, hein ? C'est comme si on respirait des bouffées de couleur et qu'on voyait la vie en rose !

Elle rit, Emma, et agrippe un pan du poncho. Jos ne l'a jamais vue si animée.

— Cette idée d'écrire des vers de Miron sans mots, juste à l'aide de couleurs… Tu sais qu'à l'université, tout jeune, il s'est fait connaître pour avoir peint des toiles entières les yeux bandés… Génial !

— Madone ! Si tu le dis. Ses tableaux, moi, j'y ai rien compris. Il n'y a que des barres et des triangles…

— Ce sont des études de couleurs, Jos, de la recherche. Et si on va loin dans ce qu'on fait, à un moment donné, on arrive là où on est seul à se comprendre.

— Je crois que là, tu as raison…, marmonne Jos dans les replis de ses foulards.

Ils sont déjà dans l'escalier qu'Emma est encore en train de causer :

— Et quelle culture il a ! Tu as vu quand il m'a parlé de Steiner ou Stener, je ne sais plus… un philosophe ou un psychologue allemand, celui qui traite de la résilience ! Molinari connaît bien le sujet. Il va me prêter son bouquin…

Ils sont enfin arrivés. Jos n'aspire qu'à la solitude de sa chambre. Il ne pige rien aux propos d'Emma et ne s'y intéresse pas. Son corps, peu habitué à cette presque sobriété, tremble et rouspète. Ses os craquent. La jeune femme n'ouvre pas encore la porte de l'appartement. Là, sur le palier, elle s'arrête et le regarde dans les yeux :

— Qu'est-ce que t'attends pour ouvrir, Emma, que je fasse de l'hypothermie ?

Pour toute réponse, elle lui glisse dans la main un tube de médicaments et chuchote :

— Ce sont des Percodan. Je ne sais pas combien il y en a, mais c'est Molinari qui me les a remis pour toi. Maintenant, il est sur la morphine et n'en a plus besoin.

Attention, il n'y en a pas d'autres. Et… n'en parle pas à ton frère. Cache les pilules dans ta poche de pantalon. Allons, laisse-moi faire…

Emma retrousse le lourd poncho et, dans la pénombre de la cage d'escalier, ses doigts gourds farfouillent et peinent à introduire le tube dans la poche. Enfin c'est fait, le poncho est replacé. Il était temps. La porte s'entrouvre de l'intérieur et le visage de Fredo, méfiant, apparaît dans l'embrasure :

— Pourquoi vous restez sur le palier ? J'vous entends chuchoter depuis cinq minutes.

Ils entrent sans un mot. Une douce chaleur règne dans l'appartement qu'en moins de vingt-quatre heures Jos considère déjà comme le sien.

Il est pressé, il a mal au ventre et une mauvaise suée lui coule dans le dos et sur les tempes. C'est toujours pareil avant la consommation ; comme si le corps cherchait à se purger afin d'absorber le maximum de poison. Le tube pèse dans sa poche telle une promesse de bonheur.

Jos n'attend pas qu'Emma l'aide à se déshabiller. Il se débarrasse des foulards tant bien que mal, cherche à se dégager du poncho. Il trébuche et se rattrape en agrippant le manteau de Fredo accroché à la patère. Trempé. Sur le moment, il n'y prête aucune attention et essuie machinalement ses doigts mouillés sur le revers de son chandail. Il croise le regard affolé de son frère mais n'y voit pas malice. Il se contente de lancer :

— Madone ! Qu'est-ce que t'as à m'regarder d'même ?

Fredo se détend. Il hausse les épaules :

— J'ai rien !

Jos fonce vers la salle de bains au bout du couloir. Le couvercle de toilette possède un coussinet, et une belle céramique à motif floral orne le plancher et les murs. Les doigts frémissants de Jos ont peine à retirer le tube. Voilà! Les comprimés de Percodan s'étalent sur le comptoir de marbre bleu. Il y en a seize! Jos en ingurgite deux d'un coup. Comme il n'y a pas de verre, il boit dans ses mains placées en coupe. Il faut attendre l'effet; une vingtaine de minutes. Certains junkies écrasent les comprimés en fines miettes et se les injectent pour avoir un maximum de résultat en un minimum de temps. Dangereux! La poudre ainsi obtenue, trop épaisse, peut bloquer les artères. Il ne viendrait pas à l'idée de Jos d'opérer de cette façon.

Il ne se considère pas comme un junkie; cette racaille, ces pourritures d'hommes et de femmes qui feraient tout pour leur dose, qui n'ont plus aucune dignité, qui couchent comme des chiens dans les ruelles. Jos n'a jamais eu à descendre aussi bas pour obtenir sa drogue et il n'a jamais sérieusement connu le manque. Il se berce avec la douce illusion qu'il n'est pas comme les autres.

La voix de crécelle de Fredo lui parvient, énervante. *Madone!* Comment la Mamma s'y est-elle prise pour produire un être si différent de ses autres fils? Il est vrai qu'elle avait alors près de quarante-cinq ans et que son sang devait être pauvre. Jos entend Fredo bombarder Emma de questions. La voix de la jeune femme est patiente, mesurée.

Jos reste quelques minutes enfermé. Le temps de savourer son soulagement. Le Percodan est un bon substitut pour la morphine et produit presque le même effet euphorisant que l'héroïne. Avec ça, pas de manque! Il n'aura pas à souffrir demain s'il en avale deux comprimés le matin et deux le soir. Son frère a déjà ce qu'il lui faut et même s'il se plaignait, Jos est décidé à ne pas lui révéler l'existence des pilules, car il les goberait toutes d'un coup quitte à être malade le lendemain! Peut-être qu'en revenant de chez le parrain, pourra-t-il lui faire une surprise... Jos se voit déjà dans l'avion, en sûreté parmi les nuages.

Emma a préparé un souper de fête. Noël approche, après tout! Sur une belle nappe blanche, elle a déposé deux chandeliers en cuivre avec des bougies aromatisées. La lumière tamisée est un baume pour les yeux fatigués de Jos. Et la bouffe! Elle est si bonne! Jos n'a pas eu aussi faim depuis des lustres. De la salade, puis des ailes de poulet avec des frites croustillantes. Il y aura un dessert aussi, mais ils n'en sont pas encore là.

— J'aime préparer les repas, dit Emma. Alors que mes mains sont occupées à laver et à éplucher, mon esprit a toute la tranquillité voulue et je peux penser à mes textes. Lorsque j'arrive devant l'ordi, les phrases coulent de source. Tous les travaux manuels et routiniers sont pour moi; ne soyez pas gênés de me voir faire la vaisselle et ne me proposez pas votre aide, c'est ça qui m'embêterait.

Les deux frères n'osent lui dire que, jamais, ils n'ont pensé à la lui offrir, leur aide.

Emma sent bon la savonnette. Elle a pris une douche et tressé en deux couettes serrées ses cheveux qui laissent des cercles humides sur sa blouse blanche. C'est qu'ils ont tous du linge propre. Molinari a permis à la jeune femme de récupérer ce qui l'intéresse dans les vêtements oubliés par ceux qu'il a hébergés durant des années.

Fredo s'est enfin débarrassé de son uniforme de serveur, mais le changement n'est pas du meilleur goût. Il porte un drôle de chandail beige écru, trop large pour lui, et si long qu'avec ses rares cheveux et ses yeux baissés, il a l'allure d'un moine. Un de ces moines hypocrites qui ne parlent que des péchés des autres.

Jos a hérité d'un chandail noir, le plus grand qu'ils ont pu trouver mais les coutures le serrent de près. Quant au pantalon, il a dû garder le sien faute d'un autre à sa taille.

Jos a fini de manger. Il s'amuse à regarder, par les minces fentes entre ses paupières, discourir Emma et Fredo. Il se sent bien, divinement bien. Les Percodan font leur effet et il a tout oublié de son découragement du matin. Les pensées s'enchaînent doucement dans sa tête. Quel imbécile, lui si pragmatique, d'avoir donné un sens fataliste au regard échangé avec le peintre! Rien qu'un regard, bon Dieu! Emma a raison. Il ne laissera plus son cadet empiéter sur sa part de drogue. Il a besoin de toutes ses capacités. Ce n'est pas le moment de se mettre en manque. Le sevrage se fera en Sicile, à son arrivée parmi les siens. Pour commencer une nouvelle vie, celle qu'il veut, il lui faudra être clean et fort, pour se montrer digne descendant des Peone.

Madone! C'est qu'ils sont forts, les fils Peone! Jos se rappelle Tonio, son aîné, et le bras droit du père. Il a été retrouvé comme lui au fond du fleuve. Un coup du clan milanais Cervi, en guerre à l'époque avec les Peone. Du moins, c'est ce qu'a toujours prétendu l'oncle Giorgio.

Tonio était la terreur de Rosemont. Un corps vigoureux, une belle gueule à la Brando et un courage de lion.
Il parlait peu, comme son père, mais lorsqu'il parlait…
«Faut l'écouter», disait la Mamma qui ne tremblait
devant personne sauf devant Tonio, son préféré pourtant. Celui dont elle était fière. Quand Tonio entrait
quelque part, on ne voyait plus que lui! Un tel charme
émanait de sa personne qu'il devenait impossible de lui
refuser quoi que ce soit.

Pasquale, plus jeune de dix-huit mois, était en tout la
moitié de son frère; moitié aussi intelligent, moitié aussi
fort, moitié aussi beau… Mais une moitié de la violence
de l'aîné suffisait amplement à attirer les problèmes.
Pasquale était décédé des suites d'une blessure à la tête
reçue lors d'une bagarre au pénitencier de Sainte-Anne-
des-Plaines. Il y attendait une de ses nombreuses sentences pour voies de fait.

Puis il y a Jos, de six ans plus jeune que l'aîné. S'il suit
le fil logique, il ne possède plus que le tiers des qualités
de Tonio. Mais le tiers, madone! C'est l'idéal, l'équilibre
parfait. Jos retient ses poings et sa rage. Et s'il parle peu,
comme ses frères, il émet du moins des idées valables,
ce dont ses aînés étaient incapables. Il représente à lui
seul une bonne synthèse des atouts Peone. Enfin, c'est
ce qu'il croit.

Quant à Fredo, eh bien… avec son pauvre quart de
tout, on peut dire qu'il n'est pas avantagé. Jos l'observe
entre ses cils. Malgré son triste accoutrement et sa piètre
mine, Fredo agit comme du monde, ce soir. Il ne s'est pas
plaint une seule fois. Il semble s'être résigné à attendre
le coucher avant d'avoir sa part de smack. Il entretient

Emma au sujet de Serge. Cette dernière a les yeux fiévreux et les paupières humides. C'est que son ancien compagnon, atteint de schizophrénie paranoïde, s'est suicidé pour ne pas faire de la prison. C'était un ami d'enfance de Jos, son faire-valoir plutôt, qui le suivait comme un esclave et dont la présence encombrait souvent le dur Peone. Fredo a bien connu Serge et, d'ailleurs, n'était-il pas plus près de son âge que de celui de Jos?

— Y était toujours fourré chez nous, hein, Jos? On lui servait de famille parce que de famille, lui... y en avait pour ainsi dire pas. Un frère à l'hôpital, une sœur sur le trottoir... tous de pères différents! Sa mère était *mentale* (ici Fredo tourne un index autour de sa tempe) comme Serge. Ils n'avaient pas de télé parce que sa mère croyait que les acteurs s'adressaient directement à elle. Tu vois l'genre?

Il n'attend pas la réponse et continue :

— Ils habitaient un deux-pièces près de la rue Masson. La première fois qu'il est venu à maison, j'ai voulu lui montrer ma chambre à l'étage. Rien à faire, y voulait pas monter. «On va déranger les gens d'en haut», qu'y disait! Le pauvre! Y pensait que le premier pis le sous-sol, c'étaient des logements privés! Hein, Jos?

Ce dernier grommelle. Fredo poursuit :

— Des fois, y faisait peur... Y devenait *mental* comme sa mère (même geste de Fredo), y était parano... y nous accusait d'l'avoir enlevé pour le remettre à des extraterrestres... enfin des trucs de c'genre-là! Mais la plupart du temps, il était normal, comme tout l'monde. Y suivait Jos partout, pis y savait au bout de trois mois parler italien. C'est ça qui est drôle... super-intelligent un jour, pis le lendemain, pfft! Pus personne là-dedans.

Fredo se tape le crâne du bout d'un doigt.

— Mais pour les casses, y était pas battable. Y volait dans les maisons italiennes de nos voisins sur Rosemont ; y savait toujours où se trouvaient le cash pis les bijoux…

— Dans la cave ? répond Emma en lançant un clin d'œil à Jos.

Ce dernier lui envoie un de ses rares sourires. Si rares que cela ressemble à une grimace. C'est que Jos lui a déjà parlé de la manie qu'ont les Italiens de se réunir au sous-sol plutôt que dans la cuisine. De même, argent et bijoux prennent souvent place sous les tuiles de la cave plutôt que dans les pots de la salle à manger.

Une bonne odeur de pâtisserie flotte en provenance de la cuisine : le dessert. Jos est incapable d'en absorber davantage et se contente de café. Il est repu. Comme un gros chat, il somnole. Il a reculé un brin sa chaise. Les mains croisées sur sa bedaine, les paupières à moitié fermées, retranché de la tablée et de la discussion qui lui parvient en un lointain bourdonnement, Jos glisse dans cette douce torpeur, ce demi-sommeil, ce Nirvana de l'héroïnomane qu'on appelle *knowdage*.

Il plane, heureux ! Léger ! Son corps d'hippopotame, il ne le sent plus. Très bientôt d'ailleurs, dès son arrivée en Sicile, fini la drogue ! Il a compris. Il est le dernier des Peone, car son oncle n'a pas de fils et Fredo ne compte pas. Il imagine tous ses ancêtres, une sarabande de vieilles têtes, de joues creuses et de regards menaçants, qui exigent que se perpétue la lignée. Il doit réussir, établir solidement son nom, et procréer. Il épousera une Italienne. Une fille du pays qui comprend et respecte les traditions. Une fille qui lui donnera plein de fils.

Oui, seule la famille compte. Il y a dix ans, juste avant de mourir, la Mamma le lui a encore répété.

C'était à l'hôpital Santa-Cabrini, une petite chambre privée pleine de fleurs. La vieille, jadis si imposante, reposait, minuscule, sur le lit. Jour après jour, son corps n'en finissait pas de maigrir et de disparaître. Avec cette prémonition des agonisants, et alors que rien dans la vie de Jos ne présageait un malheur, la Mamma lui avait agrippé le bras :

— Quand tu seras en danger, Jos, tu devras demander de l'aide à tes oncles Peone en Sicile, car y a que la famille qui compte dans la vie ; celle du sang pour nos pauvres corps terrestres, et celle de la foi pour nos âmes célestes…

La Mamma était morte le lendemain. Des années plus tard, Jos se remémore son conseil. La Mamma a toujours su ce qu'elle disait, alors Jos est tranquille. En Sicile, tout ira bien. Mais, il faut y arriver !

Un coup à l'épaule et le couinement de Fredo le tirent de sa béatitude :

— Hey, Jos ! Tu *knowdes* ? Y m'semblait que t'avais plus assez de stock pour toi, pis là, t'es gelé ben dur. T'as caché du stock, hein ?

Sous la table, Jos serre les poings. *Madone ! Fredo et ses manipulations !*

— O.K. Ta gueule, Fredo ! On en a juste assez, de la dope, pour tenir jusqu'à mon rendez-vous avec le parrain. Après on verra. Jusque-là, laisse-moi tranquille ! Tiens, voilà le dessert… un pouding chômeur. Assieds-toi et mange. Après je te donnerai ta dose de ce soir.

Jos n'a plus faim. Il s'efforce de manger seulement pour inciter son frère à faire pareil. Emma, elle, ne touche pas au pouding et retourne dans la cuisine pour y laver la vaisselle. Jos aimerait que le bruit de l'eau qui coule et celui des assiettes qui s'entrechoquent couvrent les jérémiades de Fredo. Entre deux bouchées, ce dernier râle sur ses inconforts ; la suée, la faiblesse, la douleur dans les os… Toute une litanie. Jos en arrive à le détester. La seule façon de le faire taire est de regarder Fredo comme un objet et non comme un homme. Cela le déstabilise. Bien vite, il raccourcit ses phrases, bégaie et finalement se tait. Mais Jos n'est pas d'humeur ce soir à jouer les cobras. Il préfère contempler par la porte-fenêtre le scintillement de la neige sous la lune et laisser Fredo s'égosiller en solitaire. Jos s'est allumé une cigarette, la fume par petites bouffées rapides et jette parfois un bref coup d'œil sur son frère.

Entre Fredo et lui existe ce profond malaise qui date du jour du règlement de comptes. *Le jour Rina*, comme l'a baptisé Jos. Avant, Fredo était faible et veule, mais pas au point d'irriter Jos comme à présent. Il y avait une certaine complicité entre eux. Jos espérait amener Fredo à changer, il l'encourageait à devenir plus fort et plus franc, du moins envers la famille. Puisque son cadet l'idolâtrait et cherchait jusque dans les plus petits détails à suivre son exemple, cela semblait possible. C'est d'ailleurs pour être pareil à Jos que Fredo l'avait suivi ce jour terrifiant. Mais l'admiration du cadet pour l'aîné s'était transformée en envie sourde. Jos n'est pas loin de croire que son frère le hait.

Et ce regard plein de fiel que lui envoie Fredo entre ses paupières molles lorsqu'il croit que son aîné ne le voit pas ? Il craint Jos cependant. Comme toute personne qui ne se sent pas de taille, il n'attaque jamais de front. Il biaise, contourne, sape le prestige de son frère auprès des autres. Tout ça, Jos l'a deviné. Ce qu'il ne comprend pas, c'est le pourquoi.

Son frère lui en veut-il de ne pas s'être interposé entre Rina et ses victimes? Mais l'eût-il voulu qu'il n'eût rien pu faire! Madone! Fredo le sait. Et ensuite, hein? N'est-ce pas son sang-froid qui a permis à Fredo de sortir indemne de ce foutu building? Il a bel et bien sauvé la vie de Fredo, ce jour-là, une vie qui comptait absolument pour rien dans l'esprit de ce psychopathe de John Rina. Alors où est le problème?

Jos s'ébroue comme un chien mouillé. Il n'est pas homme à réfléchir longtemps et encore moins sur un tel sujet. Ce qui importe, c'est que Fredo est son frère, et la famille, c'est sacré.

Comme la rue Sainte-Catherine est calme ce soir! Une rue fantôme! Jos secoue négligemment sa cigarette dont la cendre, en fines pellicules, voltige jusqu'au tapis. Il éteint son mégot dans la soucoupe à café. Madone! Son frère ne cesse de jacasser! Sans un mot, Jos se dirige vers la paix de sa chambre. Son pas lourd pilonne le sol. Il ne se retourne pas mais devine que son frère est sur ses talons, avide d'obtenir son petit sachet d'illusions.

Emma entend juste le bruit d'une porte que l'on ouvre et referme et ouvre encore. Le pusher glisse dans la main de son frère la dose convoitée. Un dernier bruit de porte qui claque. Le verrou que l'on tire; la chute d'un corps pesant sur le matelas… Plus rien. Jos s'est endormi instantanément. Cela lui évite d'entendre les désobligeants commentaires que son frère égrène dans le corridor jusqu'à sa propre chambre.

Au matin, la claire luminosité entre les stores réveille Jos. Le soleil est enfin là. Malgré le froid, Jos entrouvre l'une des fenêtres et aspire l'air frais à pleins poumons. Depuis que son corps fait de la rétention d'eau, il a tendance à étouffer. Il a souvent trop chaud. Il est cependant satisfait de constater qu'il ne souffre pas d'inconfort dû au manque de drogue; c'est à peine si ses mains tremblent! Il attendra donc le plus tard possible avant de prendre des Percodan. Il se contente de glisser dans sa poche le sachet destiné à Fredo et commence à s'habiller avec des gestes lents et mesurés. Il est moite et sale. Ce soir, il prendra un bain, se lavera minutieusement; cela le détendra et l'aidera à bien dormir pour sa rencontre de demain avec le parrain.

La journée sera longue. Pleine d'attente. Il bénit le peintre pour sa générosité. Il réalise combien il aurait été pénible de passer cette journée sans drogue. Sûrement, sans l'aide apportée par les médicaments, aurait-il puisé dans sa réserve de méthadone et n'aurait pas bénéficié de toute son énergie demain.

Il se dit qu'il faudra peut-être attendre quelques journées avant leur départ. Il lui reste mille dollars, tout juste, mais il est certain qu'oncle Giorgio lui fournira un pécule. Comme le clan Peone est opposé à la drogue, les dealers indépendants d'Emma seront peut-être utiles. Oui, en cas de délai, il faudra se ravitailler et prévoir suffisamment d'héroïne jusqu'à leur arrivée en Sicile. Peut-être une dernière dose juste avant le départ de l'avion leur sera-t-elle nécessaire? Parvenus au pays, ils se dirigeront tout droit au centre de désintoxication et tout sera dit. La famille Peone de Sicile se fera un plaisir de les aider. Jos entamera alors une nouvelle existence!

Après une toilette sommaire, Jos sort de la salle de bains et croise Emma. Celle-ci, en peignoir, une grande serviette sur le bras, attend son tour pour prendre sa douche.

— J'ai fait du café. Si tu en veux, tu peux te servir.

Car la jeune femme les a prévenus la veille :

— Je prépare les soupers parce que j'aime ça, mais pour les déjeuners et les dîners, c'est chacun pour soi !

C'est de bonne guerre. Jos réalise qu'Emma fait plus que sa part. Elle prend des risques pour des gens qui ne lui sont rien. Mais c'est plus fort que lui, il ne sait pas dire merci. La Mamma l'a habitué à être servi. Quant à Tatou, elle ne vivait que pour son homme. Alors Jos accepte comme un dû tous les services qu'on lui rend, même si, dans le cas présent, ça le grafigne un peu du côté de la conscience.

Emma a beaucoup d'allure. C'est évident surtout depuis qu'elle est clean et qu'elle n'a plus son air famélique. Le matin, au réveil, son corps harmonieux, les lignes pures de son visage et ses yeux, d'un bleu lumineux, frappent le regard. Mais Jos n'est pas attiré par elle. Faire l'amour avec la jeune femme, ce serait comme s'accoupler avec une extraterrestre. Jos pense étrangement que ce serait contre nature. Le plus étonnant est qu'elle soit sortie avec un type comme Serge. Là, c'est à n'y rien comprendre.

Fredo attend Jos au salon. Impatiemment, sans un bonjour ni un sourire, il tend sa main, mendiant qui quête son obole. Il est sale, pathétique dans cette chemise longue et fripée qu'il a dû garder pour dormir. Jos lui remet sa dose sans un mot puis se dirige vers la cuisine. C'est l'heure sacro-sainte de son café matinal.

À son retour, Fredo range cuiller et seringue dans la petite bourse de cuir qui ne le quitte jamais, sa trousse de survie. Il a fini son shoot. Sur la défensive, il lance :

— J'ai pas besoin de m'cacher, mademoiselle est sous la douche.

— Je n'ai rien dit.

— En tout cas, t'as pas l'air malade...

— C'est quoi ce sous-entendu, Fredo ?

— Rien, rien... Je sais c'que j'dis...

— Ta gueule, je vais écouter les nouvelles.

Fredo, la mine renfrognée, s'enfonce dans le divan. Quant à Jos, après avoir allumé le téléviseur à écran géant, il se laisse choir dans le profond fauteuil de cuir, le seul qui supporte son poids sans gémir.

Le salon est chaleureux ; les meubles en bois et deux murs en briques apparentes ajoutent à l'intimité de la pièce. Plusieurs toiles y sont accrochées, qui représentent des paysages.

Sur l'écran, une jeune femme blonde, tout sourire, parle de pluie et de neige. Dans son manteau rouge vif, elle a un petit air bourgeois, très propre, très comme il faut. À la hauteur des hanches de la présentatrice météo, une bande bleue défile et on voit passer des nuages et des soleils, tracés grossièrement.

— Il va faire beau les deux prochains jours. Je l'ai entendu à la radio.

C'est Emma, toute fraîche, vêtue d'un chandail à col roulé et d'un jean. Autour de la tête, une serviette lui donne l'air d'un génie sorti de sa lampe. Elle s'est assise sur la chaise face au bureau où trône son portable. Jambes croisées, elle sirote son café avec des airs de chat gourmand.

La météo achevée, l'animateur montre des images de la rue Mont-Royal. On voit le métro en partie caché par plusieurs autos patrouilles. Depuis peu, les policiers sont en grève. Comme moyen de pression, ils ont délaissé le port du pantalon réglementaire en grosse toile foncée pour s'habiller avec le pantalon de leur choix. Si certains ont opté pour le jean, la plupart arbore des pantalons de camouflage de l'armée, vert olive ou gris souris. *Cela en dit long sur leur mentalité de petits soldats!* se dit Jos, cynique.

Dans l'encoignure d'une porte basse, sur le côté de l'église rue Mont-Royal coin Saint-Denis, on devine le corps affaissé d'un homme que des brancardiers d'Urgences-santé soulèvent et déposent sur une civière. Quelque chose dans l'allure de la victime, un détail, retient l'attention de Jos: une paire de patins à roulettes gît dans la neige, à quelques pas du brancard! La coupe iroquoise de l'homme, la couleur verte de ses cheveux... En même temps que le déclic se fait dans l'esprit de Jos, la voix du commentateur s'élève:

— La victime, François Martineau, était connue sous le nom de Speedy. Le jeune homme de trente-deux ans a été frappé violemment. La police croit à un règlement de comptes. On craint pour la vie de la victime qui est actuellement dans le coma. Le livreur de journaux, au cours de sa distribution quotidienne, a remarqué le corps. Il a cru l'homme ivre mais s'est approché pour vérifier. C'est alors qu'il a aperçu les taches de sang...

La voix du commentateur, impersonnelle, continue de relater les faits. Plus personne n'écoute dans la pièce. Le silence est lourd, le temps, arrêté. Emma baisse la tête comme on prie. Jos a les mains crispées sur les accoudoirs du fauteuil. Il est blême.

Après quelques minutes qui paraissent une éternité, son regard passe de sa main au manteau de Fredo accroché à la patère. Ce manteau qu'il a touché hier par mégarde était trempé ! Il se tourne vers son frère et le fixe des yeux. Ce dernier sue à grosses gouttes et tremble de tous ses membres.

L'instant est terrible ! Soudain vif et souple malgré son poids, Jos s'élance vers son frère, le soulève littéralement et l'écrase de toutes ses forces contre le mur.

— C'est toi le responsable, hein ? Ton manteau tout mouillé… Tu es sorti pendant que j'étais chez le peintre avec Emma… Salaud ! J'aurais dû m'en douter… T'as brûlé notre piaule, hein ?

Fredo est pitoyable, le nez, les yeux qui coulent. La main de Jos le tient bien serré et Emma entend le bruit d'un tissu qui se déchire. Les bras de Fredo s'agitent comme des ailes. Il a l'air d'un oiseau empalé. Il étouffe, bégaie :

— J'te jure que je n'ai pas donné l'adresse… J'ai téléphoné dehors, tu l'sais bien. Lâche-moi, écoute… J'ai appelé Speedy chez sa blonde mais y était pas là…

— Sa blonde ? Madone ! Une junkie, ouais… Pis toi, imbécile, t'as dit qui t'étais, hein ?

— Oui, mais je n'ai pas donné l'adresse. J'ai dit qu'y fallait qu'y soit chez elle aujourd'hui à quatorze heures, que j'allais rappeler…

— Pis t'as pas pensé que sa blonde, une junkie, allait prendre peur, pis dire aux Ciottolo que t'avais appelé ? Qu'on allait tabasser Speedy pour le faire parler ?

— Speedy la connaissait pas, notre adresse…

— Sûrement pas grâce à toi!

Emma, toute blanche, ne dit pas un mot, ne tente pas de les séparer. Son regard inquiet fixe la porte d'entrée comme si elle s'attendait à y voir surgir les tueurs. Jos relâche son étreinte et Fredo s'affale au sol, en sanglots.

— Écoute, Fredo, tu es mon frère, mais si tu essaies encore de me jouer dans le dos, je te tue.

Jos a retrouvé son calme, mais sa voix est plus menaçante du fait qu'il la contrôle:

— Tu sors plus du logement, c'est clair?

— Écoute, Jos, j'm'excuse… J'savais qui t'restait d'l'argent, j'voulais qu'Speedy nous aide à trouver du smack… J'ai pas donné l'adresse…

— Ta gueule!

Bien sûr que Fredo n'a pas donné l'adresse, Jos le croit sans peine. Il s'y risquerait seulement s'il n'y avait plus aucune porte de sortie et ce n'est pas le cas. Il a bien trop peur pour sa peau; risquer celle des autres, celle de Speedy par exemple, O.K., mais la sienne, il y tient.

Jos tourne son regard vers l'écran du téléviseur, où s'affiche un encadré avec le visage de Speedy. Un vieux cliché pris dans un poste de police. Speedy n'a-t-il pas déjà fait de la prison pour des vols simples? Un foutu bon gars que ce Speedy.

— Un foutu bon gars…

Ce sont ces mots, pensés tout haut, qu'entendent Emma et Fredo. Sans rien ajouter, Jos leur tourne le dos et, d'une démarche plus lourde que jamais, se dirige vers sa chambre où bientôt résonne le claquement d'un verrou que l'on tire.

Chapitre IV

— O.K. Arrête-toi là !

Jos paie le chauffeur, un petit rouquin effronté qui regarde son client s'extirper du véhicule, un sourire insolent aux lèvres :

— Pas trop en forme, m'sieur ? Faudrait faire de l'exercice.

— Ta gueule !

Le sourire s'élargit sur la figure piquetée de taches de rousseur. J'ai visé juste, là où ça fait mal, semble-t-il dire. Puis le chauffeur met les gaz en ayant soin de faire un doigt d'honneur à son client.

Jos ne remarque pas ce dernier geste. Il regarde avec envie le marché Jean-Talon, de l'autre côté de la rue. Ça explose de couleurs et de gens, de cris et de rires. Deux femmes, pareilles à la Mamma, sortent de chez le boucher avec de grands sacs de toile remplis de victuailles. Elles parlent comme on chante, et Jos reconnaît dans leur voix le doux accent milanais. Derrière elles, deux hommes à la mine patibulaire s'invectivent dans un dur patois calabrais. *Ça sent Noël et les petits verres dans le nez*, songe-t-il.

Une fichue de belle journée, une journée de décembre avec un soleil qui déborde jusqu'à faire scintiller l'enseigne rouge vin de la boucherie Milan. C'est là que la Mamma achetait viande et fromages. C'était la joie de Jos et de ses frères lorsque le sympathique propriétaire les emmenait à la cave pour leur offrir des tranches de saucisson et des petits verres de vin blanc. La Mamma avait beau se douter, flairer leur haleine, guetter l'odeur révélatrice, l'ail savait tout camoufler.

Un jour, jaloux d'un surplus d'alcool accordé à ses frères – «T'es encore trop jeune», lui avait dit le proprio –, Fredo les avait dénoncés.

Fredo! Depuis hier matin, Jos l'évite. Chaque fois qu'il le croise, il a envie de le frapper. Son frère le sait et il n'approche de Jos qu'à l'heure de ses doses. Il se contente alors de tendre une main tremblante pour recevoir son sachet.

Emma erre comme une âme en peine. Elle a passé l'aspirateur, préparé le souper, pianoté quelque peu sur son portable, mais son attention s'attarde au petit poste de radio qu'elle traîne partout. Elle attend que les médias annoncent la mort de Speedy. Elle n'a plus d'espoir.

— Ils ont dit que les médecins craignaient pour sa vie et, après, qu'il ne passerait probablement pas la nuit…

Et il ne l'a pas passée. Emma a cogné à la porte de Jos ce matin:

— Speedy est mort, à deux heures cette nuit.

Jos a voulu ouvrir, la consoler peut-être… mais elle était déjà partie. Lorsqu'un peu plus tard, lavé et rasé en prévision de sa rencontre avec son oncle, il s'est pointé au salon avec son café, Emma travaillait sur l'ordinateur, juste un peu plus pâle que d'habitude.

Pour sa part, Jos abhorre le comportement de son frère. Il regrette la disparition de Speedy, mais la mort fait partie de la vie. Et il a si peu connu le punk...

Sans avoir jamais eu de relations intimes, Emma et Speedy étaient des âmes sœurs.

— C'était une âme d'artiste, de poète. Speedy avait des idées bien à lui sur tout ce qui se passe dans le monde!

Le punk n'avait pas terminé ses études secondaires, mais suivait sans peine les discours d'Emma, pleins de mots impossibles et d'idées complexes. Il parlait tout le temps aussi, «même dans son sommeil», a prétendu sa blonde. Car depuis peu, Speedy avait une copine, celle-là même que Fredo avait eue au téléphone et qui avait dénoncé son amoureux. Foutue garce, oui!

Avec regret, Jos tourne le dos au marché. Il ne serait guère prudent de s'y montrer, même avec le poncho et son ample capuchon qui fut le sujet d'un dilemme ce matin:

— Il fait trop chaud pour mettre ça, a-t-il ronchonné.

— On ne doit pas te reconnaître, a insisté Emma.

— Je vais encore plus me faire remarquer.

Il a capitulé, mais il le regrette tant il sue. Pour le reste, il se sent bien. Ce matin, il a bu la méthadone précieusement gardée pour l'occasion et pourra ainsi affronter son oncle avec toute la lucidité nécessaire.

Il s'engage dans la petite impasse sans nom ni numéros de porte, le dernier endroit où l'on s'attendrait à trouver un café. Ceux-ci s'enchaînent habituellement sur les grandes artères et, plus le commerçant a de l'ambition et du capital, plus il aura de chances de bénéficier d'un emplacement dans des rues achalandées comme Crescent, avenue des Pins, voire Mont-Royal.

Jos s'arrête pour se découvrir la tête et replacer d'un geste impatient la ceinture de son pantalon qui a tendance à le serrer. Il se dégoûte. Lorsque Speedy est venu l'avertir du contrat placé sur sa tête, il a eu l'impression de se réveiller d'un long cauchemar, ou d'une longue maladie. Il n'aime pas le mot dépression, mais il n'en trouve pas d'autre pour ce qu'il a vécu. Il le repousse avec horreur, car dans le milieu et chez les Peone en particulier, on ne fait pas de dépression. Ridicule! On pourrait prendre les mafieux en pitié, peut-être parce qu'ils travaillent trop, qu'ils se surmènent, on irait peut-être jusqu'à leur allouer une petite pension! Car que deviendrait-on sans eux? Sans casinos, sans prostituées et sans drogue, hein?

Jos se souvient des paroles de son père:

— Face à un obstacle, l'homme a trois choix; soit il saute par-dessus, soit il le contourne, soit il essaie de le faire disparaître en tapant dessus! Le mieux, c'est de taper dessus.

— Et s'il préfère ignorer l'obstacle? avait demandé Jos.

— Alors, ce n'est pas un homme.

Jos est un homme. Il n'attendra pas l'ennemi comme un mouton. Le danger lui a redonné des forces et du courage. Jusqu'à son départ pour la Sicile, il doit survivre!

Peut-il y avoir pire que cette lente dégradation du corps et de l'esprit subie jour après jour ces dernières années; avec à peine le goût de respirer?

Il a de nouveau des envies de propreté et de luxe. Il est comme nu sans ses habits faits sur mesure, ses belles chaînes en or – vendues depuis des lustres – et ses bagues! Montées par le meilleur des orfèvres. Il regarde avec amertume ses doigts boudinés. Pour l'instant, rien ne pourrait y glisser, c'est sûr!

Son père disait aussi que la vie, ce n'était pas de connaître, mais de posséder!

— Tu seras respecté selon le poids de ton portefeuille.

Jos n'a qu'à regarder Emma pour s'en convaincre. Des grands mots et le ventre creux! Jos sait que s'il n'avait pas vendu de l'héroïne, il n'aurait pas continué à se droguer. Mais il lui faut du prestige pour exister. Il a fraternisé avec de rares clients – Speedy et Emma par exemple – qui sortaient vraiment du lot.

Les drogués vivent comme des chiens! Lui, il n'est pas comme eux! La preuve? Entré comme patient au centre Nuit et Jour, il y était intervenant au bout de six mois et se tapait la directrice! Le reste de la clientèle y croupissait misérablement pendant dix-huit mois et, sitôt libéré, retournait à ses fixes et à ses ruelles.

Les réflexions de Jos sur les junkies ne dépassent pas ce stade. Fermé aux nuances et aux incertitudes, il stagne sur le sentier étroit de ses convictions.

Le quartier général du parrain Peone, un café choisi parmi la demi-douzaine d'établissements qu'il possède, se trouve au fond de l'impasse. Devant, siège un vieil entre-pôt qui sert désormais de repaire aux rats. L'emplacement seul du café suffirait à prouver qu'il s'y trame des choses louches; montrer qu'on ne veut pas se montrer! Comme une grosse blatte acculée au mur qui tente de se rendre invisible sous le faisceau d'une lampe braquée sur elle.

Pourtant, depuis plus de trente ans, aucune rafle, aucune perquisition policière n'y a eu lieu! Ça sent la protection de quelque gros bonnet de la flicaille ou Jos ne s'y connaît pas!

À peine visible sous la crasse, l'enseigne grince sur ses gonds au moindre vent. On y lit avec peine le nom *Au Café des Sportifs*. Il faut les chercher, les sportifs, dans le coin, mais enfin… c'est une idée du grand-père. Ce dernier ne jurait que par Maradona et avait vu tous ses matchs.

C'est un café d'habitués, en fait, mais si un quidam s'y aventure, on se doit de l'accueillir. C'est un lieu public, après tout! Mais on lui fait vite sentir qu'il est de trop. On le regarde par en dessous, de travers, de biais… jamais en face! Car si on le fait, l'intrus a peu de chances de sortir en un seul morceau!

Les derniers pas pour atteindre la porte grandissent Jos à ses yeux. Il connaît bien le QG. Son père l'y emmenait de temps à autre, avec l'air de lui faire une grande faveur. Jos détestait y aller mais se taisait pour ne pas peiner le paternel. L'endroit sentait le vieux; plein de poussière et de crasse. Ça doit être encore plus miteux à présent, pense Jos.

Le mafioso, habitué aux bars de danseuses huppés et chics des Ciottolo, a honte du quartier général des Peone.

La porte est verrouillée, bien sûr. Jos presse la sonnette et se retient pour ne pas faire un pied de nez à la caméra vidéo qui pendouille juste en dessous des tuiles du toit.

Il entre, plein d'assurance, comptant sur cette lourdeur qui impressionne. Avec ses cent quarante kilos, ce n'est pas bien difficile.

L'endroit est aussi misérable qu'il s'y attendait et les hommes sur place sont du genre auquel il est habitué. Ils le regardent de haut et échangent de bas commentaires ; n'est-ce pas le Peone qui a trahi ? Car travailler pour les Ciottolo, c'est trahir le clan. De plus, n'est-il pas dans le trafic de drogue ? Ne vient-il pas quémander de l'aide à son oncle, la queue entre les jambes ? Ce sont des proches de l'oncle, et ils connaissent tous les déboires de son neveu. Ils en font des gorges chaudes depuis des jours.

Jos renifle l'arrogance chez ces hommes qu'il ne connaît pas. Ils font partie de ces nouveaux cadres de la mafia déplacés vers la banlieue pour plus de sûreté. Ceux-ci sont presque tous de Laval, qu'on surnomme aussi « le magasin de Montréal » en raison de ses centres d'achats démesurés.

Sans compter les restos ! Laval en regorge. Ils s'alignent d'est en ouest sur le boulevard Saint-Martin, les uns à la suite des autres et grands comme des manoirs ! Ces gigantesques édifices servent aussi bien aux honnêtes hommes d'affaires venus négocier qu'aux moins honnêtes qui en ressortent avec des accords dissimulés dans les chaussettes et les revers de chapeau !

C'est à Laval que le parrain possède ses plus importantes entreprises de construction, dissimulées derrière des prête-noms. Mais c'est à Montréal, au café des Sportifs, que les lieutenants du parrain qui s'occupent de la banlieue rendent leurs comptes.

L'arrivant est en terrain connu. Et, comme on dit dans le milieu, il sait enfoncer ! Il fixe chaque mur sale, semble y lire tous les secrets du lieu et s'en moquer. Son regard s'attarde sur chacun avec la noirceur et la profondeur d'une thèse sur le mépris. Et ce sont ces prétentieux qui finissent par baisser les yeux et par se tortiller, mal à l'aise, sur leurs chaises.

Il y a en tout et pour tout quatre tables comme jetées au hasard dans la pièce sombre et basse de plafond. Un néon jauni tremble dangereusement au-dessus des têtes. Il projette une lumière avare qui laisse presque tout dans la pénombre, même la table de billard et les deux machines à poker dans le fond. L'air est lourd de fumée et d'alcool; la loi antitabac dans les établissements publics n'est guère en vigueur ici. C'est vrai que public, l'endroit l'est si peu.

À gauche de l'entrée, un vieux comptoir de zinc, et derrière, le barman gras et soufflant égraine les heures en regardant des soaps italiens sur le téléviseur fixé au plafond.

Ce bouge compte plus d'une demi-douzaine de gars, plus du tout hostiles maintenant qu'il les a soumis du regard. Quatre d'entre eux jouent aux cartes et les tiennent en main comme la gorge d'un homme qu'on étrangle. Deux armoires à glace, à une autre table, se contentent de siroter un verre, les yeux vers la vitre crasseuse. Jos doute qu'ils puissent voir à travers. Deux autres s'hypnotisent sur les machines à sous. Enfin, il y a le barman romantique.

Jos se dirige vers ce dernier et lui chuchote quelques mots à l'oreille. L'homme lui désigne le rideau de bambou qui sépare le café de l'arrière-salle et marmonne:

— Il vous attend.

La pièce où Jos pénètre est aussi lugubre que la salle du devant; un plancher de bois fissuré par endroits, des murs nus, jaunes, avec des taches de moisissure dans les coins, un fauteuil au tissu déchiré qui laisse entrevoir son squelette, trois hauts classeurs dont les tiroirs ouverts débordent de dossiers et enfin un grand bureau blanc, recouvert de papiers, de cendriers pleins de mégots, de verres sales, puis une vieille radio qui laisse filtrer la voix rocailleuse de Pavarotti.

Derrière ce bureau, chétif, le crâne dégarni, son oncle Giorgio, le parrain du clan Peone, le dévisage de ses yeux méchants. Il est au téléphone, mais fait signe à son neveu de s'asseoir.

— C'est mon neveu qui vient d'arriver... ouais... celui dont je t'ai parlé...

Jos patiente. Il s'étonne une fois de plus du mode de vie de son oncle. Même s'il n'est plus le premier des caïds, le parrain a de l'argent, beaucoup d'argent! En même temps que le titre, il a hérité de son père la maison familiale. Une luxueuse demeure rue Jean-Talon, pas très éloignée du café en fait; dix chambres, quatre salles de bains, piscine creusée intérieure et femmes de ménage. C'est là que toute la famille se retrouvait les dimanches dans son enfance, avec les vieilles tantes commères.

Pourtant, l'oncle Giorgio préfère passer sa vie entre ce bar miteux et une pièce tout aussi dégueulasse aménagée à l'arrière d'un de ses bars de danseuses. Jos l'a toujours connu mal à l'aise lors des réceptions qu'il se devait de donner, saluant d'un geste rapide les gens importants, pour se réfugier dans son antre sale. Jos n'a jamais aimé son oncle; un fruste qui ne vit que pour le pouvoir et la jouissance d'humilier ses semblables; une richesse utilisée seulement pour paraître et pour écraser les autres.

Des décennies après la sortie du film *Le parrain*, dans lequel on assistait aux dernières grandes années de la Cosa Nostra, des chefs de clan comme Giorgio Peone s'étaient retranchés derrière leurs principes et leurs activités criminelles comme les seigneurs du Moyen Âge se terraient dans leurs fiefs.

— Il n'y a plus de vraie mafia, avait dit un jour Vincent Taglione à Jos.

Taglione avait tout vu, tout fait ; capo en Sicile, puis directeur de casino pour la famille Genina de Las Vegas, on l'avait laissé se retirer à Montréal, fait rare dans le milieu. Avec ses quelques restaurants et cafés en sous-main, il vivait peinard et ne se mêlait plus que d'instruire quelques jeunes mafieux sur l'histoire de la Cosa Nostra à partir des vagues d'immigration du début du siècle :

— Avant, on était des immigrés, nous, les Italiens. L'Amérique, le Nouveau Monde comme on disait, c'était une terre dure où il fallait jouer des coudes. Parqués comme du bétail dans des taudis, nos commerçants étaient sans défense. La corruption régnait ! Des policiers… même des juges, de connivence avec les voyous, faisaient du racket de protection… Une vie infernale ! Certains ont compris. Ils se sont proclamés padre – père – ou parrain des Italiens des ghettos, et ont joué le même jeu que leurs ennemis. Et ça jouait dur, fiston, tu peux me croire !

« Il y avait le serment du sang dans ce temps-là, et jamais un clan sicilien n'aurait accepté un étranger dans l'organisation, pas même des Napolitains ou des Milanais ! C'était exclusivement familial !

« Mais on n'en est plus là, fiston, et le terme mafia est galvaudé maintenant. C'est devenu une marque de commerce. Les clans mafieux sont devenus des organisations criminelles où travaillent des Noirs et même des Juifs qui sont les as du blanchiment d'argent...

« Les jeunes Italiens ne se tiennent plus entre eux comme dans le temps ; ils vont à l'école avec des Irlandais, des Anglais, des Québécois. Si le sens de la famille demeure fort, ce n'est plus le même qu'au début. On évolue, on se mêle aux autres... Et la drogue, fiston ! C'est devenu la manne de votre génération ! Ton oncle Peone et sa clique n'en veulent rien savoir. Ils vont voir leur nom et leurs affaires péricliter, alors que le vieux rusé de Ciottolo, lui, s'est jeté dans le trafic d'héroïne... La mafia, la vraie... elle agonise, fiston ! »

Devant son oncle, peu pressé de raccrocher et qui le regarde par en dessous, Jos se rappelle ces propos du vieux Taglione. Le Jos de douze ans à l'époque, animé du feu de noms légendaires et héroïques tels que Vito Corleone, Louis Véga et Al Capone, n'avait guère apprécié cette mise au point réaliste qui faisait de son avenir dans le milieu un cul-de-sac.

Pourtant, aujourd'hui, devant le chef Peone au petit front têtu, il ne peut que comparer la décrépitude de cette organisation à celle des Ciottolo, même s'ils ont su survivre.

Face au système pénal et aux autres clans, son oncle s'est retranché dans son château fort de vieux principes et de moyens surannés. Il a érigé trois protocoles d'action, trois murs d'enceinte. Le premier : montrer patte blanche, offrir des pots-de-vin, acheter des appuis politiques, juridiques ou commerciaux. Le durcissement, les menaces, le brasse-camarade et les offres qu'on ne peut pas refuser: deuxième mur! Finalement, le troisième, c'est l'heure du siège où pour survivre il faut attaquer, ce sont les règlements de comptes et les massacres.

Mais la forteresse Peone n'est plus qu'une tourelle d'idées poussiéreuses qui n'intimide plus personne, surtout pas les Ciottolo. Le padre Ciottolo et ses sbires, lors de rares escarmouches avec ces Peone, les tassent d'une main comme on écarte des moustiques. Ils ont vu le vent tourner, les Ciottolo! Ils n'ont pas eu mauvaise conscience à se mettre au trafic d'héroïne, au sexe sur le net, et même à la pornographie infantile. Ils n'ont plus de mercenaires à domicile, mais plutôt de rutilantes caméras de surveillance. Au lieu de se laisser submerger par les bandes de motards, ils en ont fait leurs bras armés.

Giorgio Peone fait toujours impression dans son quartier de la Petite Italie où, dans les marchés comme dans la rue, on l'appelle parrain ou patron avec un respect mêlé de crainte; il campe sur ses activités illicites déclinantes et se pavane comme un roi qui tolérerait les nouvelles modes adoptées par son peuple, convaincu qu'elles ne dureront pas. Pourtant il est dépassé, archaïque et obsolète. Son clan agonise. Il s'obstine à ne pas le voir. Il a amassé assez d'argent pour faire illusion, surtout à lui-même.

Pour ces raisons, Jos n'est pas préparé aux coups qui l'attendent. Il croit débarquer sur un rivage familial accueillant, avec un oncle un brin boudeur, mais ravi de retrouver son neveu repenti; un peu l'histoire de l'enfant prodigue, quoi! Des sermons, oui, quelques critiques envers la Mamma, et quelques conseils pour l'avenir. Rien de bien méchant, quelques couleuvres que Jos a décidé d'avaler sagement.

Eh bien, non! C'est sur un ring qu'il vient de poser les pieds et il le découvre dès que le parrain raccroche et l'aborde d'une façon inattendue:

— C'est Fredo, hein, qui a bavé sur Martineau?

Jos met quelques secondes à se rappeler que Martineau est le vrai nom de Speedy. Il hoche la tête.

— Il y a un d'mes gars qui est copain avec un des tueurs des Ciottolo… une brute qui parle trop et qui ne se doute pas du tout de l'identité de mon agent. Il paraît que le punk avait la couenne dure? Il n'a pas donné l'adresse de votre planque en tout cas.

— Madone! Il ne la savait pas.

— Ah, ouais? Il a dit que c'était sur Sainte-Catherine pourtant…

— C'est tout ce qu'il savait!

Jos ferme les yeux une seconde, ébranlé. Encore ce foutu Fredo qui n'a pas su se taire. Il est vrai que la rue Sainte-Catherine traverse toute la ville en largeur et que retrouver un gars en la parcourant est quasi impossible. Ça n'a rien de rassurant, cependant. L'oncle le toise, une lueur rosse dans le regard. Jos comprend: ce ne sera pas l'entrevue si naïvement envisagée.

— Et puis pour l'écrivaine, je te préviens qu'ils sont au courant qu'elle t'a aidé. Martineau a mis du temps avant de cracher l'info. Il devait y tenir à cette fille… tenir à ce qui lui arrive rien. Les gars de Ciottolo ont trouvé son logement rue Mont-Royal et y ont mis le feu. Si j'étais toi, je la préviendrais de pas se montrer jusqu'à ce que t'aies quitté le pays… Après ça… eh bien… elle risquera plus grand-chose, mais pour plus de sûreté, à sa place, je me tiendrais peinarde encore un ou deux mois.

Après, ils s'en foutront, d'elle. Ils ne prendront pas de risques inutiles.

— Merci pour l'info.

— Y a pas d'quoi, mais... en ce qui concerne Fredo... qu'est-ce que tu vas en faire?

— Comment ça?

— Écoute, le jeune, tu ne connais pas la vie comme moi. Fredo est tout le portrait de ton père, un bon à rien...

Jos serre les poings, décidé à tout encaisser.

— ... un traître, comme ton paternel. Tu t'es jamais demandé, puisque c'était ton père l'aîné, pourquoi il n'avait pas hérité du titre de parrain? Allez, calme-toi, fiston... reste assis... oui, oui, ton père était l'aîné... Je vois que ta mère t'a rien dit, hein? Je t'offre un verre?

Giorgio n'attend pas la réponse que, d'ailleurs, Jos est incapable de donner. Il se dirige du pas saccadé d'un vieil arthritique vers le rideau de bambou. Il l'écarte:

— Sylvio, apporte du whisky et deux verres. Tout de suite!

Le barman rapplique en moins de deux et Giorgio lève son verre:

— Cul sec?

Pétrifié, Jos en oublie que la méthadone et la boisson ne font pas bon ménage et il a un haut-le-cœur; *mon Dieu, faites que je ne sois pas malade, non, pas avant que l'oncle m'ait tout dit.*

— Écoute, mon neveu, je suis désolé...

Jos en doute. Une lueur de satisfaction brille dans les yeux de son oncle.

— Si je ne veux pas voir ton frère, c'est que je ne lui fais pas confiance. Ce que je vais te dire, mon garçon, va pas te faire plaisir, mais c'est de ta vie dont il est question. Ces Ciottolo... ils te feront pas de cadeaux... faut pas que t'aies de caillou dans ton soulier, tu comprends? Ça empêche de courir! Ton frère, c'est un gros caillou...

Où l'oncle veut-il en venir? Est-il en train de suggérer à Jos de se débarrasser de Fredo? De le tuer? Voyons, Jos a dû mal comprendre. C'est ce foutu alcool! Et qu'est-ce que c'est que ces histoires à propos de son père?

— Mon père était l'aîné?

Le parrain acquiesce.

— Ma mère ne m'a jamais rien dit. À mes frères non plus, j'en suis sûr...

— Tonio savait.

Jos revoit son frère aîné, toujours dans l'ombre du père. Il le suivait partout, l'admirait. N'est-il pas mort avec lui d'ailleurs? Jos a peine à questionner:

— Mais pourquoi?

— Pourquoi il n'est pas devenu le parrain? Ce n'est pas moi, mais le conseil de famille Peone au grand complet qui l'a décidé. Pour respecter les vœux de ton grand-père qui ne voulait pas entendre parler du trafic de drogue. Il y a eu des chicanes terribles. Ton père disait qu'il fallait vivre avec son temps ou qu'on allait tout perdre. Ton grand-père parlait d'honneur, et ton père d'argent. Ils ne pouvaient pas s'entendre.

«Puis ton père a commencé à fricoter avec les Ciottolo, qui sont les parents de ta mère. Ton père voulait, non pas s'associer à eux, mais fondre le clan Peone dans celui des Ciottolo, qui n'en aurait fait qu'une bouchée. Ton père a trahi, fiston… Il était lâche. Il avait peur des autres clans. Il parlait de paix, mais il voulait faire profil bas, ouais! Et Fredo est pareil… Il va t'apporter que des problèmes… »

Jos se sert un autre verre. Il le cale en oubliant toute prudence. La tête lui tourne. Une idée terrible a surgi. Cela se peut-il que…

— Qui a tué mon père et mon frère?

— Écoute, fiston…

— Je ne suis pas votre fiston! Répondez!

— C'est comme on t'a dit… un règlement de comptes, pas entre les Roccagelli et les Peone, mais entre Peone et Peone…

— Vous avez tué mon père?

Jos essaie de se lever, les poings en avant.

— Hey! Calme-toi, fiston! J'y suis pour rien, moi! Lorsque ton grand-père a su que ton père avait convaincu le vieux Sammy d'avoir un entretien avec les Ciottolo, il a vu rouge et lui a interdit de reparaître devant lui. Il a fait une croix sur sa succession qui du coup m'est revenue. Quelques jours après, ton père et ton frère étaient retrouvés au fond du Saint-Laurent. Ce qui s'est passé… qui a payé qui… on s'en doute, mais mon frère avait pas à jouer avec le feu!

Jos est accablé. Il se dit que l'honneur l'obligerait à se lever, à frapper son oncle en pleine gueule et à disparaître. Mais s'il ose ce geste, il est fichu. Cette maîtrise de lui-même, ce sang-froid qui le caractérise, lui vient en aide aujourd'hui. La vengeance peut attendre; pour l'instant, il faut survivre.

Il comprend que son oncle a tablé sur ses émotions, sur cette violence familiale qu'on prêtait à son père et à ses frères aînés. Le conseil Peone a dû obliger l'oncle à lui venir en aide et ça ne fait pas son affaire. *Un sournois, un hypocrite. C'est à lui que Fredo ressemble, et non au père.* Ici, Jos a honte d'associer les faiblesses de son petit frère aux iniquités de son oncle.

Le temps presse ! Le parrain doit porter une arme sous son complet et attendre les réactions de Jos. Soit son neveu lui saute dessus et il se défendra en l'abattant, soit Jos s'enfuit en l'invectivant, sans les papiers ni la promesse de les obtenir. Dans ce cas, Jos est perdu ; ce sont les Ciottolo qui l'élimineront !

Jos se rassoit, en apparence sûr de lui. Une ombre de déception passe sur le visage de son oncle. Jos ne s'est pas trompé.

— Ce sont de vieilles histoires, mon oncle, et je m'en fiche. Ce que je veux, ce sont les passeports et les billets d'avion, Ah ! Et de l'argent aussi !

Si le parrain est déçu, il n'est pas résigné. Il veut en faire baver à ce neveu qu'il déteste comme il détestait son frère, le père de Jos :

— Écoute, fiston, tu ne m'en veux pas trop j'espère, mais je te croyais au courant. Je pensais que c'était pour ça que tu travaillais pour les Ciottolo… Tous… tout le conseil l'a pensé…

Menteur ! pense Jos. Le vieux Sammy Peone, par exemple, le frère de son grand-père, est un homme juste, et c'est le premier conseiller de l'oncle. Jos est certain qu'il a insisté pour que le clan Peone prenne Jos sous son aile et l'aide le plus rapidement possible à quitter le pays. Luigi et Carlito aussi, Jos le jurerait ! On ne laisse jamais tomber l'un des siens. Que l'oncle Giorgio le veuille ou non, Jos est un Peone !

Et s'il est vrai que son père a trahi, le clan ne tiendra pas le fils, trop jeune à l'époque, pour responsable des erreurs de son paternel.

L'important est de montrer aux autres clans qu'on ne touche pas sans impunité à l'un des leurs. Les Peone ne sont pas de taille à s'opposer aux Ciottolo, mais ces derniers ne pourront leur tenir rigueur de l'exil de Jos qui demeure en accord avec les traditions de tous les mafieux du monde.

Le nœud du problème n'est pas loin, pense Jos. C'est son oncle qui personnifie le lâche, le pleutre. C'est lui qui a peur des Ciottolo, peur des conséquences possibles. Mais Jos doit cesser de ruminer. Il n'en peut plus :

— O.K. Alors, mon oncle, les papiers ?

Le parrain tapote la table du doigt. L'air est lourd de tension. Quiconque entrerait à l'instant dans la pièce suffoquerait !

Enfin, l'oncle Giorgio tend la main vers l'un des classeurs :

— Ce n'est pas aussi simple que tu le crois, Jos. Depuis quelque temps, on a des difficultés à obtenir des faux papiers qui résistent à l'inspection. Depuis ce fameux 11-Septembre, et même si l'attentat date de plus de dix ans, les douaniers sont sur les dents. Sammy voulait que tu les aies dans les trois jours (ici un rictus de mépris envers le vieux Sammy), il est dépassé... c'est impossible en si peu de temps. Alors, Carlito va te les remettre... attends... tu connais l'endroit ?

L'oncle lui tend un papier sur lequel est inscrite l'adresse de l'église Saint-Marc dans le secteur Rosemont-Petite-Patrie. Jos connaît. C'est proche du parc Beaubien, là où il y a des années, il avait rencontré John Rina, cette sale tronche de psycho. Que le lieu du rendez-vous avec Carlito soit à deux pas du parc lui procure un malaise; un mauvais pressentiment. Il questionne :

— Quand ?

— Dans quarante et un jours exactement. À la sortie de la messe… à dix heures. Tu sais comme Carlito est pratiquant ! C'est une faveur qu'il te fait… de te les remettre en mains propres. Enfin, voilà les deux billets d'avion pour le même jour. N'oublie pas de les faire enregistrer dès que t'as les passeports.

Jos n'écoute plus depuis les premiers mots. *Madone ! Quarante et un jours de délai… Quarante et un jours !*

— C'est beaucoup trop long…

— T'as pas compris ce que je t'ai dit ? On ne peut pas faire mieux, fiston. Si ta planque est sûre et si t'as confiance en Fredo, je ne vois pas où est le problème ?

Le salaud, pense Jos, *il sait que je suis accro au smack. Que pour en trouver, ce n'est pas gagné. Il espère que je vais me péter la gueule avant le départ, ouais !*

Jos n'a pas le choix. Il saisit d'une main ferme les billets d'avion et la mince carte d'affaire qui fixe l'heure et l'adresse du rendez-vous pour récupérer les passeports. Il se lève avec difficulté. Jamais il n'a été si lourd, si maladroit. Heureusement qu'il a bu sa bouteille de méthadone avant de venir.

Quarante et un jours, se répète-t-il. *C'est interminable.* Mais avec du fric, tout est possible. Son oncle n'est-il pas censé lui en remettre ? Le cœur de Jos se serre :

— Et l'argent ? Il m'en faut.

L'oncle se lève à son tour, se dirige vers le rideau de bambou qu'il écarte comme une invitation au neveu à partir, puis d'un ton faussement mielleux :

— De l'argent, fiston ? J'en ai pas à te donner. Les affaires vont mal chez les Peone comme tu l'as si souvent répété aux Ciottolo ces dernières années… De l'argent, y en a pas !

Jos franchit le rideau, traverse le café silencieux à présent ; les types sont occupés à le regarder, à évaluer l'ampleur de sa défaite. Juste avant la fermeture de la porte, Jos croit entendre des petits rires gras.

Il n'a jamais été aussi mal. Le tissu de son pantalon, au niveau des cuisses, s'est frotté contre la chair et a causé des plaies douloureuses. Une violente nausée le saisit. Non ! Il ne doit pas vomir. Pas ici. Pas tant qu'il peut être vu du café. Juste avant la sortie de l'impasse, une encoignure le met à l'abri des regards. Il restitue tout ce qu'il peut, jusqu'aux tripes.

L'émotion lui noue la gorge. Jos ne peut pas pleurer, il y a des années qu'il n'en est plus capable. C'est qu'il y a cru, lui, malgré son expérience, malgré son âge, à cet honneur familial si cher aux mafieux.

— Tout ça, c'est de la blague, marmonne-t-il entre deux nausées.

Il y a un instant, son oncle l'aurait buté sans un battement de cils. Et il a pris plaisir à salir la mémoire de son propre frère.

Pareil à Fredo, se répète à présent Jos, *sans remords. Un sournois, un hypocrite ! Oncle Giorgio a dû travailler longtemps dans l'ombre à briser l'image de son frère aux yeux du vieux parrain Peone. Une remarque perfide par-ci, un petit coup bas par-là, et toute la confiance du vieux envers son aîné a fini par s'écrouler.*

Le père de Jos cherchait-il à moderniser les affaires? Oui, sûrement; il voulait céder à ses fils une entreprise prospère qui pourrait rivaliser avec les autres clans. Mais pas en traître. Jos en est convaincu. Il revoit ce taureau d'homme. Violent et impulsif, sans aucun doute, mais franc comme l'or! Et oncle Giorgio lui enviait toutes ces qualités, lui si faible et si lâche!

Et puis le parrain Giorgio n'avait eu que des filles. Il avait toujours jalousé son frère et sa nombreuse progéniture mâle. Jos est persuadé maintenant que son oncle est le premier responsable de la mort de son père. Peut-être en est-il même le commanditaire. Appuyé contre le mur de la bâtisse, il vomit de plus belle.

Et les autres? Ceux du conseil, comme son grand-oncle Sammy et le vieux Carlito? Acceptent-ils de l'aider juste pour sauver la face devant les autres clans qui les mépriseraient d'agir autrement? Jos n'est-il pas le dernier des Peone? Car il doit le reconnaître, Fredo ne compte pas, et la famille au pays est tout aussi stérile côté mâle! Bande de salauds!

Et la Mamma? Comment a-t-elle pu ne rien lui dire? Comment a-t-elle pu ne pas chercher à se venger? Jos a un hoquet une fois encore, alors que son estomac vide ne laisse plus sortir qu'un filet de bile. Madone! Si la Mamma lui avait parlé, jamais il n'aurait été s'humilier ainsi! Jamais il n'aurait quêté de l'aide auprès du meurtrier de son père et de son frère! Jos n'en doute plus: oncle Giorgio est le commanditaire de ce double assassinat. *Bien sûr, il n'a pas opéré lui-même – bien trop lâche –, mais il a donné l'ordre!*

La Mamma savait. Cela ne fait aucun doute. Si son fils courait un sérieux danger, les Peone n'auraient d'autre choix que de l'aider ; elle avait préféré trahir la mémoire de son mari plutôt que risquer la vie de son fils. Jos ne peut lui en vouloir, mais la peine subie est terrible. Il repousse la boule qui obstrue sa gorge et la rejette jusque dans le dépotoir de ses émotions : son cœur.

Il demeure, quelques minutes encore, prostré et les tempes douloureuses. Le vent qui souffle, vif, lui lave l'intérieur. Peu à peu, un calme relatif l'envahit, aussitôt suivi d'une rage froide.

Ils vont voir ! Oui, tous. Ce clan Peone à l'agonie et ces salopards de Ciottolo qui veulent sa peau. *Tous, ils vont voir !* Les dernières années, il a souffert d'une dépression dont il est guéri. Une foutue dépression, oui – il ne se le cache plus, comme il ne se cache plus qu'il est un junkie et que la drogue est la cause première de sa débâcle. Mais il est fort, il a toujours été fort, et un sevrage est loin de lui faire peur ; il a hâte et il exulte à l'idée d'être clean et de leur faire voir ce dont il est capable.

Après un an ou deux de sobriété au pays, il pourra faire partie des échanges qui ont lieu entre des gars des États-Unis et de la Sicile. La plupart des clans du globe se sont dissous les uns dans les autres. Ils ont rejeté les serments familiaux et accepté n'importe quel étranger dans leur sein. Pour survivre. Ils ne sont plus que de banales organisations criminelles sans aucun lien avec la mystérieuse mafia, mais prétendent le contraire. Cela leur confère plus d'importance. Paradoxalement, si pour ne pas mourir, plusieurs clans se sont dilués au point de n'être plus que l'ombre d'eux-mêmes, les deux plus influentes familles des États-Unis demeurent de véritables familles mafieuses dans la plus pure tradition. Et ces familles font souvent des échanges !

Le principe de l'échange est simple. Lorsqu'un gars de la famille, haut placé dans la hiérarchie, se retrouve mêlé à une sale affaire qui risque de le compromettre et de compromettre aussi le clan, on l'envoie se faire oublier au pays.

Le conseil familial en Sicile – il y en a toujours un – envoie alors un type remplacer celui qui vient d'arriver.

Car les grandes familles se méfient des Italiens élevés aux États-Unis. Ceux-ci ont toujours des relations ou même des amis extérieurs au clan proprement dit. On ne peut totalement se fier à eux, alors qu'un type qui a passé sa vie en Sicile et que l'on a formé dans le respect des traditions pourra facilement être isolé dans le cercle fermé de la famille qui l'emploie aux États-Unis. Ses nouvelles relations seront celles du clan ! Même son épouse sera choisie parmi les filles de la famille !

Jos a passé une grande partie de son enfance au Québec, mais le fait qu'il soit issu de parents siciliens, qu'il soit né au pays, et que son nom soit celui d'une famille mafieuse respectée en fera un bon sujet pour l'échange. S'il demeure sobre un an ou deux, on le choisira pour combler un poste à l'étranger. Capo des Roccagelli de New York ou directeur de casino pour les Genina de Las Vegas, tout ça serait dans ses cordes !

Jos se relève maladroitement et contourne l'amas de neige plein de vomissures. Il n'a plus mal à la tête et la tension dans sa poitrine s'est relâchée.

Malgré le froid, le soleil s'affiche. Les gens papillonnent, de plus en plus nombreux, d'une boutique à l'autre du marché Jean-Talon. Des odeurs de pain frais et de viande rôtie titillent les narines de Jos. Ce qu'il peut être affamé ! N'importe quoi ! Il donnerait n'importe quoi pour se joindre aux commères et discuter des prix devant les étals de fruits et de légumes, puis croquer à belles dents dans une poire savoureuse !

Le marché Jean-Talon et sa mosaïque de couleurs chatoyantes qui se déplacent sans cesse ! Ici un voile rouge, tantôt un chapeau d'un vert piquant, ici une casquette grise, là-bas un burnous jaune… La beauté de ce marché, c'est qu'il est vivant, joyeux, ouvert sur le monde… et un si bon souvenir pour Jos.

Si on lui demandait d'énoncer son vœu le plus cher, il répondrait sans hésiter : une famille. Une famille bien à lui, avec une épouse et des gosses qu'il pourrait emmener faire des courses au marché. Une famille qu'il présenterait fièrement à Pierre le pâtissier ou à Sergio le boucher. Une grande maison aussi, de la fortune, et la considération de ses pairs.

C'est pourquoi il a longtemps été fier de travailler pour les Ciottolo, l'idéal de la famille pour lui : un foyer, un parrain, de la protection et des encouragements. Il a été déçu. Et ce qu'il vient de voir du parrain Peone ne fera pas renaître ses illusions !

Dans les grandes familles Genina ou Roccagelli, fidèles aux traditions siciliennes, il doit en être tout autrement. Jos veut le croire. Il espère aussi y trouver sa place.

Quel imbécile il fait, de rêvasser ainsi sur ce trottoir à la vue de tous ! Il joue avec le feu. Il est vrai qu'à part les familiers du milieu, personne ne connaît l'adresse du QG du parrain Peone. Mais comme son oncle l'a dit lui-même, il y a des indicateurs! Par chance, les taxis pullulent rue Jean-Talon. Jos n'a qu'à lever le bras pour voir un véhicule ralentir à sa hauteur.

Un grand panneau encadre le dôme de la voiture; une réclame de la compagnie de taxi Beaubien. Jos se rappelle en souriant avoir appris aux nouvelles télévisées que plusieurs compagnies proposeraient bientôt aux particuliers des autocollants publicitaires à apposer sur leur bagnole contre rémunération. *Il y a un paquet d'argent à se faire là*, se dit-il, heureux d'avoir eu cette pensée. Heureux de constater que son esprit d'entreprise est toujours vif. *Oui, il doit aussi y avoir plein de choses à faire au pays pour amasser de l'argent en attendant qu'on me propose pour l'échange!*

Le chauffeur a un regard étonnamment jeune malgré sa chevelure parsemée de fils d'argent et ses vilaines rides autour des yeux. *Des yeux jeunes peut-être, mais... éteints*, pense Jos. *Tant mieux. J'ai pas envie de bavarder, mais de mettre de l'ordre dans mes idées.*

Il donne au chauffeur l'adresse d'une rue parallèle à Sainte-Catherine, quelques pâtés de maisons plus à l'ouest de sa planque. Il en sera quitte pour marcher un peu, prudence oblige. *En premier, je dois me fermer le cœur à toute sensiblerie*, se dit-il. Il est rongé de culpabilité depuis la mort de Tatou. Il n'aurait pas dû lui fournir de l'héroïne alors qu'elle prenait de la méthadone à haute dose; plus de cent quatre-vingts milligrammes! Pas étonnant que son cœur ait lâché!

Oublier, vivre, voilà ce qu'il veut. Devenir l'homme que Tatou a idéalisé: un homme fort, riche, respecté et loyal envers sa famille. Il l'avait été, mais... pas tout à fait.

Confortablement installé contre le dossier de cuir, Jos se détend. Si seulement il n'y avait pas Fredo… Sans Fredo, tout serait plus facile. Quarante et un jours… Le temps suffisant pour se désintoxiquer. Il a une planque sûre, le frigo et les armoires regorgent de victuailles. Bon sang! Il y a de la bouffe pour au moins six mois! Il n'aurait même pas à sortir jusqu'au moment de son rendez-vous avec Carlito et, en plus, il a une infirmière à domicile. Emma ne possède peut-être pas de diplôme, mais elle a l'abnégation, la patience et la compassion d'une nurse ou d'une bonne sœur! Ce serait l'idéal… s'il n'y avait pas Fredo!

Ce dernier n'acceptera jamais de vivre sans drogue. Pas tant que Jos aura un peu d'argent sur lui. Même sans fric, il harcèlera son frère jusqu'à plus soif pour qu'il en trouve. Alors que faire? Jos envisage un instant d'acheter de la drogue uniquement pour Fredo et d'entamer, lui, un sevrage. Très vite il en voit les obstacles. Il serait irréaliste de croire qu'il pourrait endurer les affres du manque en sachant qu'il y a de la drogue dans l'appartement! Et qu'il n'aurait qu'à tendre la main pour calmer ses souffrances.

D'ailleurs son frère serait incapable de gérer sa drogue. En deux jours, tout serait consommé! Et Jos ne serait pas en état de la distribuer au compte-gouttes comme il l'a fait ces derniers jours. Non, c'est impossible. Il ne reste plus qu'à agir comme prévu et à trouver de l'héroïne jusqu'à leur départ. Il y a un hic! Avec le coût du taxi que les fugitifs ont dû prendre le soir de leur arrivée au logement, plus l'aller-retour d'aujourd'hui, il ne reste que neuf cents dollars. Il lui faut penser aux taxes de l'aéroport, aux cigarettes, aux imprévus. Jos calcule qu'il ne peut consacrer plus de cinq cents à l'achat de smack. Un gramme seulement, qu'il devra partager en deux puis étaler sur une période de plus d'un mois. C'est envisageable si les deux usagers se contentent chacun d'un demi-point par jour. Ils ne seront pas gelés, ils seront même inconfortables pendant deux semaines, mais leur corps s'habituera peu à peu à exiger moins de drogue. Difficile en soi, mais irréalisable à cause de Fredo et de sa mauvaise nature. Mais Jos a-t-il le choix? Il essaiera de trouver plus d'argent pour éviter les jérémiades de son frère mais, pour l'instant, Fredo devra se faire une raison.

À peine descendu du taxi, Jos se souvient du mot de Vincent Taglione. Lors de leur fuite du loft, Fredo avait voulu lui remettre un billet provenant du vieux caïd sur lequel se trouvaient un numéro de téléphone sécurisé et la demande de rappeler dans les plus brefs délais. Pris par les problèmes du moment, Jos avait demandé à son frère de conserver le billet. La voilà, la solution!

Taglione lui donnera de l'argent. Il en est sûr. De plus, le vieux connaît toutes les histoires familiales; leurs intrigues et leurs secrets sont comme un livre ouvert pour lui. Avant de quitter le pays, Jos pourra en savoir plus sur son père et sur les Peone. Et, le fugitif se l'avoue, il sera sans défense durant quarante et un jours. Que les Ciottolo le retrouvent et il sera un mouton destiné à l'abattoir! Il lui faut une arme, et l'homme qui peut lui en fournir une discrètement, c'est Taglione.

Soulagé, Jos chemine plus léger muni de cette nouvelle espérance. Puis, après quelques pas, un doute l'assaille: et si c'était un piège? Que Taglione ait passé un accord avec les Ciottolo? Qu'en échange d'une faveur, il leur ait promis de l'amener à se découvrir? Avec ce que Jos a appris chez son oncle, tout lui semble possible. Mais Jos ne s'est jamais trop attardé aux réflexions compliquées, ni aux scénarios improbables. Il revoit le vieux caïd, son visage à la peau comme mal pliée, zébrée de cicatrices, mais souriant et bonhomme! Un vieux dur au cœur tendre, qui fut son mentor et son guide durant tant d'années. Ses grandes relations d'amitié avec le droit Sammy Peone parlent pour lui. *Un tel homme, on peut s'y fier!* Il reprend sa route d'un pas décidé.

L'appartement est plongé dans la pénombre, les volets tirés. Après l'éblouissement du dehors, Jos peine à y voir. Toujours sous le choc de la mort de Speedy, Emma est allongée sur le sofa du salon, les yeux rouges, un livre ouvert sur la poitrine. Mais il y a de la force en elle. Emma en a vu d'autres, comme on dit. Il y a eu le décès de Jean-Marie, son professeur à l'université et son premier grand amour, à l'hôpital Notre-Dame. Puis le suicide de son second compagnon, Serge. Aussi les terribles sevrages d'héroïne, les arrestations, les séjours en prison… La perte d'un ami, même proche comme Speedy, ne la terrassera pas!

Aucun signe de Fredo. Il doit broyer du noir dans sa chambre. C'est ce que confirme Emma à Jos:

— Fredo n'est pas sorti de son boudoir… (C'est ainsi qu'elle nomme la chambre qu'il occupe.)

Fredo apparaît, les cheveux ébouriffés, les yeux gonflés d'avoir trop dormi.

— Maintenant j'suis là. Alors Jos, qu'est-ce qui arrive?

Jos ne répond pas tout de suite. Il se dirige vers la première fenêtre dont il ouvre les volets et fait de même pour les trois autres. Il retourne ensuite lourdement devant la porte d'entrée pour enlever poncho et foulard.

— Je prendrais bien un café.

Emma se lève aussitôt :

— Il y en a de prêt dans la cuisine. Je vais te servir pendant que tu te changes, pis après, j'aimerais bien que tu me dises ce qui se passe.

— Moi aussi, j'en veux un, demande sèchement Fredo.

Jos croise le regard d'Emma. La jeune femme bouillonne. Elle est serviable, mais elle n'aime pas recevoir d'ordres. L'ex-pusher appréhende quelques vertes répliques à l'intention de Fredo, mais non ! Emma hausse les épaules et se dirige vers la cuisine.

Jos se frotte les mains l'une contre l'autre pour les réchauffer. Il s'affale dans son fauteuil avec un soupir d'aise. S'il ne faisait pas si froid, il ouvrirait l'une des fenêtres pour aérer la pièce. Celle-ci dégage une odeur de poussière et de renfermé, pénible après l'air vivifiant du dehors. Depuis qu'il a pris tout ce poids, il a toujours besoin de plus d'air. Pour le moment, ça peut aller et il se concentre sur ce qu'il va dire. Pas question d'aborder les histoires à propos de son père, ça non !

— Pis, Jos ?

Ce dernier regarde Fredo avec son fameux regard qui fait barrage comme un coup de poing. Fredo comprend le faux pas. Politesse oblige, il aurait dû attendre le retour d'Emma pour poser sa question. Jos est avare de paroles et ne tient pas à se répéter. Pour marquer son humeur,

Fredo s'étale de tout son long sur le divan occupé précédemment par Emma. À son retour, celle-ci n'a d'autre choix que de s'installer sur la petite chaise devant le bureau.

— Passe-moi le cendrier, Fredo.

Jos prend le temps d'allumer une cigarette, se cale davantage dans son fauteuil puis annonce :

— Nous partons dans quarante et un jours…

Fredo se lève d'un bond :

— Plus d'un mois ? Impossible, Jos. On n'a pas assez de stock. Je ne vais pas continuer à tourner en rond dans l'appartement, c'est comme une prison…

— Assieds-toi, Fredo.

Fredo n'écoute pas. Il marche de long en large dans la pièce, puis tourne en rond autour de la table du salon, les yeux exorbités. Un fou ! Mais Jos n'a pas l'intention de jouer les psys :

— Assieds-toi !

La voix claque comme un coup de fouet. Dompté, Fredo retourne s'asseoir sur le divan, mais cette fois-ci d'une seule fesse, prêt à bondir à nouveau.

— On n'a pas le choix. Les papiers ne seront pas disponibles avant.

— Pas vrai ! Ils t'ont menti ! Taglione m'a dit que ça prenait au max deux jours pour obtenir des passeports.

— Je le répète, on n'a pas le choix. Il faut donc acheter de la drogue à un pusher indépendant. T'en connais toujours, Emma ?

La jeune femme acquiesce.

— Le problème, c'est que j'ai pas assez d'argent pour nous fournir durant un mois.

— Pas d'argent? Y veulent not'mort ou quoi? C'est ça, hein? Ils préfèrent qu'on crève?

Amer, Jos se dit que son frère touche du doigt la vérité. Pas question de le lui dire cependant. La voix basse d'Emma le surprend:

— J'attends un chèque d'ici un jour ou deux à mon appartement du centre-ville. Des droits d'auteur. Huit ou neuf cents dollars, pas plus, mais je peux te les prêter.

Soulagé, joyeux, Fredo s'avance, ses mains aux longs doigts croches tendues vers la jeune femme:

— Tu vois, Jos, y a que les femmes pour être généreuses...

— Oh! Madone! Ta gueule, Fredo! On ne peut pas accepter cet argent.

— T'es fou?

— On ne peut pas l'accepter, car il est hors de question qu'Emma aille le chercher. Les Ciottolo la choperaient!

Et Jos annonce à la jeune femme l'incendie de son logement.

— Merde! Depuis le temps que je pensais au dépôt direct. Je paye le prix de ma paresse maintenant.

Pas de cris, pas de larmes. Jos l'admire. Devant l'annonce de la perte de son logement et de tout ce qu'il contient, la jeune femme garde une pleine maîtrise. Il est vrai que le matériel compte si peu pour elle... *Elle risque pourtant sa vie aussi. Elle le sait! Enfin...*

Jos lui rapporte le conseil du parrain Peone: se tenir tranquille jusqu'au départ des deux frères. Elle approuve, sereine; tout le contraire de Fredo qui se mord les lèvres de dépit:

— Elle peut quand même essayer, non?

Jos le regarde, plein de mépris.

— Non! Emma ne va rien essayer, et d'ailleurs, je crois avoir trouvé une autre solution. Tu as toujours le numéro de Taglione?

Une lueur s'allume dans les yeux de Fredo:

— Ben oui. Je l'ai. J'l'avais complètement oublié. Tu vas lui demander d'l'argent, c'est ça? Demande-lui aussi c'est quoi le délai habituel pour les papiers, tu vas voir que tu t'es fait rouler. Peut-être que Taglione peut nous en avoir plus vite?

— Ta gueule.

L'heure du souper passe lentement. Malgré le plat de moules succulentes et les brocolis gratinés, les meilleurs que Jos ait jamais mangés, ce n'est plus l'agréable intimité de la veille. Fredo reste morose, mais Emma écoute attentivement les instructions de Jos.

Plus tôt, alors que la jeune femme en était aux derniers préparatifs du repas, Jos s'est rendu au téléphone public pour appeler Taglione. Ils ont rendez-vous demain devant l'église Saint-Marc, rue Beaubien, à seize heures.

Emma, elle, devra partir dès l'aube pour rencontrer une espèce de gourou qui voyage l'été d'un bout à l'autre du globe et revient aux premiers jours de l'automne avec de l'héroïne cousue dans ses vêtements et dans ceux de ses disciples. Il achète la drogue de main à main et ne fricote avec aucune organisation criminelle ni aucun passeur. Il est inconnu du milieu et donc sans danger pour les fugitifs. Son vrai nom est Dave Snow, mais il se fait appeler maître David. Un illuminé dont la secte compte une douzaine d'adeptes, jamais plus.

— Comme les apôtres !

Emma s'anime et ajoute :

— Maître David est un gosse de riche comme tous ceux qui l'entourent. Drogués, désabusés, ils ne vivent qu'entre eux et hibernent sur les toits d'un immeuble du centre-ville…

— Sur les toits ? demande Fredo, estomaqué. Ils n'ont pas froid ?

Il croit à une blague, mais l'anecdote est tout ce qu'il y a de plus vrai. Jos le sait et lance un clin d'œil à Emma.

Pour toute réponse, elle sourit. Un peu plus tard, elle ajoute :

— Si ça t'intéresse, Fredo, après le souper, je te raconterai tout sur maître David.

— Ouais, certain qu'ça m'intéresse !

Chapitre V

Emma tient parole. À huit heures, les fugitifs s'installent au salon à la lumière tamisée.

On jurerait une veillée familiale, songe Jos. Il y en a des tas comme ça dans ses souvenirs d'enfance. Presque tous les soirs de semaine, dans la maison de la rue Rosemont – vendue à la mort de la Mamma –, on se retrouvait entre proches. « Pour relaxer et fumer la pipe », disait le paternel ! « Pour être ensemble et parler », rectifiait la Mamma !

Le père de Jos et Tonio, l'aîné, qui ne se quittaient pour ainsi dire jamais, jouaient aux cartes dans un coin sombre du sous-sol. La Mamma, une fois la vaisselle nettoyée et rangée, s'appropriait la berçante, une couture ou un tricot à la main. Elle avait toujours quelque chose à faire ! Les trois plus jeunes fils s'asseyaient par terre pour jouer, mais le plus souvent, ils finissaient par écouter les histoires du grand-oncle Sammy ou celles de Vincent Taglione.

Jos aimait particulièrement les histoires de gangsters du temps de la prohibition que leur narrait Taglione ; il parlait aux jeunes Peone comme à des hommes et ceux-ci lui en savaient gré. Il venait deux ou trois fois par semaine, les mains pleines de cadeaux.

Il s'entendait bien avec le père, lui accordait le respect dû à un futur parrain et ce dernier le lui rendait. Même la méfiante Mamma l'accueillait d'un sourire. Par contre, Jos ne se souvient pas d'avoir vu Taglione chez oncle Giorgio les dimanches. Fait surprenant puisque tout ce qui comptait de mafieux dans le coin se faisait un devoir d'y apparaître.

Ici, ils ne sont que trois dans l'appartement et Jos et Fredo ne sont plus des enfants. Pourtant, la même ambiance chaude qu'à l'époque règne pendant toute la soirée. Une tasse de café à la main dans laquelle elle souffle parfois, la jeune femme leur raconte l'histoire véridique de maître David.

D'instinct, Fredo a repris la pose qu'il adoptait enfant : couché à plat ventre sur le tapis du salon, les coudes appuyés sur un des coussins et le menton dans les mains.

Jos, lui qui s'asseyait aussi par terre, jambes croisées, s'installe aujourd'hui dans un fauteuil rigide.

Emma amorce son récit, enthousiaste. C'est une pause, un intermède que cette histoire dans leur vie actuelle pleine de tension, mais c'est aussi un moyen pour Emma de partager avec les deux frères une aventure qui peut les mener plus haut, vers des sommets de réflexions qu'ils n'ont pas l'habitude d'emprunter. Emma cherche toujours chez autrui des profondeurs que souvent il n'a pas.

Elle parle fort et haut, elle gesticule, se lève aussi pour mimer quelques épisodes mais… si une exclamation parfois échappe à Fredo ou un sourire à Jos, elle reçoit peu d'encouragements.

À vingt ans, David Georges, jeune universitaire issu d'un milieu très aisé, a décidé de planter là ses études, la maison familiale et ses parents pour se réfugier dans un petit logement sur le toit d'un building de son paternel. Logement bâti comme une casemate de l'extérieur pour induire en erreur les hélicos et projecteurs de la sécurité publique.

Cette étrange lubie venait, disait l'actuel maître David, d'une vision ou plutôt d'un appel de Dieu. Ce Dernier, comme à Moïse, lui aurait donné des directives et une mission à accomplir ; vivre sur un toit, jeûner presque toute l'année, nourrir ses veines d'héroïne – cette drogue divine – puis écrire le Dernier Testament qu'à sa mort ses disciples – il en avait douze – devraient propager à travers le monde.

Arrivé à ce moment du récit, Jos sort de son mutisme :

— Un fou !

— Cool ! commente Fredo.

Emma a rencontré maître David il y a huit ans. Tout de suite après que Jean-Marie, son ancien compagnon, eut été licencié de son poste d'enseignant à l'UQAM. Les deux amants passaient leurs jours et leurs nuits en errances dans ces rues de Montréal qui sont le gîte naturel des mendiants, des poètes, des philosophes et des fous.

C'était un matin de janvier si froid ! Il fendait les joues, il gelait tout et ce, jusqu'aux cœurs des gens devenus secs et cassants comme de la glace ; pas moyen de mendier ! Et il y avait pénurie d'héroïne sur le territoire de Montréal à la suite d'une opération policière. Les deux vagabonds n'avaient aucun point d'achat. Et puis Jean-Marie boitait à ne pouvoir se tenir debout – début de l'endocardite qui devait l'emporter en moins de deux mois – et enfin, la rue n'avait plus de ciel, mais un couvercle de plomb qui étouffait l'âme et donnait le spleen.

C'est là que, désespéré, le mentor d'Emma s'était souvenu de son ancien étudiant. Maître David possédait son propre réseau de drogue, indépendant de celui que les flics venaient de démanteler à Montréal. Le gourou fournirait bien quelques grammes d'héroïne à son ancien professeur en souvenir du bon vieux temps.

Séance tenante, les deux amants s'étaient dirigés vers le bas de la ville et la place Jacques-Cartier, là où se trouvaient le fameux building et le nid du gourou.

Une ascension de quinze étages par les escaliers de secours de l'immeuble ; escaliers qui donnaient sur les murs arrière et aveugles de deux autres édifices. Une ascension qu'Emma décrit en détail aux deux frères, la comparant à la montée de l'échelle de Jacob.

Tout en haut, entre autres petits cabanons habituels sur les toits, une casemate qui ne payait pas de mine de l'extérieur, mais décorée telle la tente de Gengis Khan ; des coussins et des coussins sur des tapis et des tapis, puis des cierges et des petits autels partout… Enfin, maître David qu'on reconnaissait à son vêtement de prêtre – une chasuble tissée d'or –, et ses douze disciples revêtus de toile grossière.

Jean-Marie et Emma furent bien accueillis. Ils durent cependant se farcir un sermon de plus d'une heure, qu'Emma répéta presque en intégralité au bénéfice des deux frères. Ceux-ci maudissent en leur for intérieur la mémoire phénoménale de leur compagne.

Emma retrouve les sensations d'alors. Elle se souvient d'une étrange musique qui ajoutait du poids aux paroles du maître; ce n'était en fait que le vent; à cette hauteur, le souffle puissant s'engouffrait avec force par tous les orifices du bâtiment, y jouant comme dans les tuyaux d'un orgue. Arrive la conclusion du récit, à la satisfaction de Jos et Fredo; ils forment le pire auditoire d'un conteur:

— Ce qui est ineffable, termine Emma, et qu'il faut vivre pour en saisir les vertiges, c'est le pèlerinage de maître David sur le toit. Il l'accomplit chaque jour de l'hiver, vêtu d'une simple robe de bure, pieds nus dans des sandales lacées. Il fait tout le tour du toit et en rase le bord. Nous l'avons suivi, Jean-Marie et moi, chaudement habillés et pourtant transis, alors qu'il déambulait dans la tempête, insensible aux éléments. C'était incroyable! Je ne voyais pas le panorama, aveuglée que j'étais par la neige, mais une envie folle, presque irrésistible, me poussait à sauter dans le vide; j'étais convaincue alors que je me mettrais à voler. Si Fredo ou toi, Jos, avez fait l'expérience en rêve de plonger dans le vide, puis de vous mettre à planer, vous en connaissez la jouissance: un souffle puissant dans la poitrine, une sensation de liberté extraordinaire! C'était sublime! Grandiose! Aussi un peu triste; cette immensité rappelait la petitesse de l'humain dans l'univers. À ce moment, j'ai regardé maître David: ses bras grands ouverts vers le ciel, ses cheveux et sa robe qui claquaient dans le vent. Soudain, cela ne m'a plus semblé ridicule que sur cette montagne créée par les hommes, l'un d'eux ait la prétention de parler à Dieu!

« Et voilà... C'est l'histoire de maître David. Lorsque je marche dans les rues du bas de la ville, j'appréhende que fonde sur moi l'un de ses regards. Car maître David a les yeux d'un aigle. Il regarde s'agiter cette ville de ciment avec le même dédain que Quasimodo sur le beffroi de Notre-Dame contemplait son Paris de pierre. »

Emma se tait et un silence s'ensuit qui, pour elle, parle encore. Elle revit les émotions de l'époque ; ce David, demi-prêtre, demi-prophète, ce mystique, ce nouveau Fray Juan de la Cruz, l'avait bouleversée.

Les yeux d'Emma se posent sur les deux frères restés cois. Il y a une lumière dans les yeux de Fredo, mais qui s'éteint aussitôt. C'était un enthousiasme de façade. Il s'exclame tout de même :

— Cool ton histoire, Emma ! J'aimerais bien le voir, ce fou sur son top !

Pour sa part, Jos a écouté Emma pour en venir à son objectif premier :

— Alors vous l'avez eue, votre drogue ?

Emma le regarde un instant sans comprendre, tant elle a oublié, elle, pourquoi Jos s'intéressait à maître David. Elle est déçue. Jos lui apparaît soudain sans couleurs, sans rêves, sans poésie ; un homme sans âme, verrouillé de l'intérieur. Pourtant, Emma devine une sorte de grandeur en lui… Elle répond, laconique :

— Oui, Jos, on l'a eue.

— Tu crois qu'il est toujours sur son toit ?

— Oh oui ! J'irai dès demain.

Jos et Fredo la regardent enfin avec intérêt.

Chapitre VI

Il y a bien dix minutes que Jos attend dans le blizzard. Avec son poncho qui part en tous sens, il se fait l'effet d'un bonhomme de neige dans une cour; ne lui manque qu'une carotte plantée dans le nez.

La neige frappe en traître; par en dessous, de travers, toujours là où on l'attend le moins. Les flocons éclatent en eau dès qu'ils le touchent et le gèlent à l'os. *Madone! Où est Taglione?* C'est pourtant lui qui a insisté pour le voir le plus tôt possible :

— Il faut qu'on se rencontre aujourd'hui, le jeune. Sinon c'est pas sûr qu'on se revoie un autre jour. Ils vont essayer de me suivre.

— Le téléphone est O.K.?

— Ouais.

Emma est partie à l'aube, car il y a long à parcourir jusqu'au building où se perche l'oiseau gourou. Fredo voulait à tout prix l'accompagner, mais Jos, qui se méfie des ferveurs de son frère – ce fou est capable de se joindre à la secte –, s'y est opposé. Il a prétexté qu'un étranger pourrait tout gâcher en faisant peur aux apôtres. Étonnamment, Emma s'est rangée à son avis, et c'est un Fredo boudeur en train de zapper devant le téléviseur que Jos a laissé derrière lui.

Honteux, Jos a été rassuré de retrouver le Fredo de toujours, la cigarette au bec, l'œil mouillé et hargneux du chien qui veut mordre mais qui n'ose pas. Fredo est un pleutre. Il se ratatine dans un coin à la première menace, mais bave dans le dos des gens de grands filets de mots mouillés, taillés pointu pour faire plus mal. Ce matin, c'est au physique ingrat du vieux Taglione qu'il s'en est pris :

— Laid à faire peur, Taglione. Avec tout le fric qu'il a, y pourrait s'faire arranger la face ! Y a de grandes dents, de grandes oreilles et des longs poils…

Emma, la main sur la poignée de la porte et prête à sortir, l'a interrompu d'un rire :

— On dirait la description du grand méchant loup dans *Le petit chaperon rouge* !

Là-dessus, elle les a quittés. Fredo s'est renfrogné, la tête dans son cou, telle une tortue dans sa carapace. Avant de partir à son tour, Jos a partagé avec son cadet les quatre derniers Percodan. Emma devra à tout prix obtenir de la drogue de son foutu gourou, sinon Fredo et lui seront en manque dès demain ! Pour ce faire, Jos a remis plus de sept cents dollars à la jeune femme, presque tout son avoir. Emma va acheter tout ce qu'elle peut, quitte à y retourner demain avec l'argent de Taglione, malgré les risques encourus à multiplier les sorties.

Hier, dans la cabine téléphonique au coin de la rue, Jos a pensé que Taglione allait reporter leur rendez-vous, car déjà la météo annonçait une sacrée tempête. Mais non ! Le vieux a insisté :

— Ça nous servira, toute cette neige… On n'y verra pas à deux pieds devant soi. Question camouflage, y a pas mieux! Tiens-toi sous la voûte de la porte qui donne sur la deuxième, tu y seras un peu à l'abri. De toute façon, je ne serai pas en retard et... surveille bien les environs...

En retard malgré ses promesses, Taglione l'est bel et bien. Jos a un mauvais pressentiment, une angoisse diffuse lui serre la poitrine. Malgré sa confiance envers le vieux caïd, il en revient toujours à cette idée: *Taglione a-t-il tourné casaque?* Le lieu même du rendez-vous lui fait peur; c'est l'église Saint-Marc rue Beaubien, celle-là même où il doit venir chercher les passeports dans quelques semaines. Cette coïncidence le rend méfiant. Alors qu'il s'apprête à quitter les lieux, Jos est aveuglé par la lumière de deux phares braqués sur lui. L'éblouissement soudain dans ce jour sans soleil lui fait si peur que, durant une minute, il est incapable de bouger.

— Qu'est-ce que t'attends pour monter, le jeune? Dépêche-toi!

C'est bien la voix rauque de Taglione. Soulagé, Jos contourne la bagnole, une vieille Bentley confortable, et s'engouffre à l'arrière. Heureusement, les sièges sont larges et Jos peut étendre ses grosses jambes. Un espace raisonnable le sépare de Taglione, qui n'est pas petit non plus. Ce dernier tape du doigt sur la vitre de séparation – car il y en a une comme dans les taxis de New York et les limousines –, et à ce signal, le chauffeur repart.

— On va parler dans l'auto, c'est plus sûr. Charlie va stationner un peu plus loin. Il a pour consigne de surveiller les alentours.

Taglione n'a pas changé. Et de le voir aussi chaleureux, comme si les plus de quinze ans depuis leur dernière rencontre ne comptaient pas, rassure. Comment a-t-il pu douter de l'intégrité de son vieux mentor? Jos sourit à un souvenir. Enfant, il se plaisait à dire, en voyant Taglione venir faire son petit tour à la maison pour saluer son père et sa mère: il n'a pas un poil sur le coco, mais des milliers dans l'nez! Et c'était vrai. Ça l'est toujours d'ailleurs. Et Fredo a raison de dire qu'il est laid. Taglione est une charpente d'homme avec une tête carrée et un crâne chauve si lisse qu'on le dirait ciré; il n'a presque pas de sourcils non plus, mais de ses larges narines sortent de grosses touffes de poils noirs, longs et épais; on les dirait implantés! Son visage est une ruine, un véritable champ de bataille après la défaite; des rides comme des crevasses, des cernes comme des ravins, le tout parsemé de couperose et de quelques brûlures dues à l'acide. Il n'a jamais pensé à se faire rafistoler et pourtant, il porte au reste de son apparence un souci maniaque. Habillé sur mesure, rasé de près et fleurant bon l'eau de Cologne, il se fait faire une manucure chaque semaine et ne penserait jamais à sortir sans ses souliers vernis!

Taglione a connu tout ce qui compte dans le milieu et il a l'expérience d'un vieux sage. Il a été capo de la famille Genina durant des années et c'est elle qui lui aurait permis de se retirer à Montréal comme indépendant et de gérer un quartier bien précis du centre-ville. C'est ce qu'on dit.

La Bentley stationne sur Iberville, à côté du parc Molson et à quelque cinq mètres derrière une rangée de taxis. Par ce temps, les chauffeurs ne chôment pas. Les lumières rondes des phares qui vont et viennent dans la tempête, comme un étrange ballet de grosses lucioles, permettront à Charlie – l'employé chauffeur de Taglione – de surveiller les alentours le temps du conciliabule.

Taglione tape de nouveau sur la vitre. À ce signal, Charlie éteint les phares mais laisse tourner le moteur. Le silence s'installe un court moment jusqu'à ce que Taglione, nerveux, le brise d'une voix précipitée :

— Toujours aussi peu bavard, on dirait. Je suis content de te voir, le jeune, crois-moi.

Quand l'oncle Giorgio l'appelle ainsi, Jos se hérisse. Il se réjouit par contre lorsque Taglione fait pareil. C'est le seul mot qu'ose utiliser ce dur à cuire pour exprimer son affection envers Jos.

Son vieux mentor a raison. Jos parle peu. Il a toujours eu du mal à s'exprimer ; peut-être parce que chaque mot, même le plus simple, nous appauvrit, ou plus précisément nous affaiblit. Jos se revoit au seuil de l'adolescence, face à Taglione, hochant gravement la tête aux conseils du sage. Il croyait comprendre et n'avait qu'entendu. C'est au fil des années et après un tas d'expériences que Jos a saisi : il n'avait rien pigé à l'époque.

Taglione connaît bien les hommes, de l'honnête à la crapule, du mendiant au richard ; il perçoit Jos tout entier. Il voit tout de lui. Il y a ces paquets de souffrances qui refusent de sortir en paroles, en cris ou en pleurs et ces peines empilées jusqu'à gonfler son corps comme un sac à vidange plein de détritus. Deux ravines aux tempes et un front lisse malgré la quarantaine dénotent que l'homme refuse de penser et qu'il s'entête sur une seule idée. Enfin la désillusion amoureuse se lit dans les replis amers de la bouche.

— J'ai bien des choses à te dire, le jeune, pis je crois, d'après ce que j'ai compris au téléphone, que tu as plein de questions de ton côté, mais va falloir faire court.

— Tu crois qu'on n'est pas O.K. ?

— Charlie a découvert y a une demi-heure un GPS planqué sous la Bentley. C'est pour ça que j'étais en retard. On s'est arrêtés à un garage et dès qu'une bagnole est venue mettre de l'essence, Charlie lui a refilé le bébé. On gagne du temps à mettre ça sur une auto qui roule, ça peut permettre de les semer. Puis on a fait des détours… pour se donner plus de chances et s'assurer que tout était beau. Mais c'est plus fort que moi, le jeune, j'suis pas tranquille… enfin… Pour commencer, laisse-moi te donner ce que tu m'as demandé.

Taglione ouvre une mallette en cuir posée sur ses genoux et en sort un revolver à peine plus grand qu'une main :

— C'est un browning muni d'un silencieux. Il est chargé de deux balles et en voici quatre de plus. Le chien n'est pas armé… Enfin, tu connais tout ça, non ? Les Ciottolo ont même dû t'apprendre à tirer et à nettoyer une arme, pas vrai ?

Il n'attend pas la réponse, mais aide Jos à soulever son poncho et à glisser le revolver dans la ceinture de son pantalon.

— Juste pour la défense, hein ? On ne rit pas au Québec avec le port d'arme. Si on te chope avec, t'es cuit ! Pour une fois, y aurait personne pour te sortir de taule et là… tu serais la cible parfaite pour un détenu impatient de prouver sa valeur aux Ciottolo…

— O.K., O.K. Ça va. Je connais.

— Enfin, bon… L'argent est là, regarde, dans cette pochette. Que des billets de cent. Comme promis, y a cinq mille dollars.

Jos devrait remercier son vieil ami mais il est incapable de donner, pas même des mots!

— Attends! J'ai aussi un téléphone portable à te remettre. Un petit bijou d'avant-garde. Il est protégé contre le repérage satellite. Il y a deux touches, tu vois? Une pression sur le bouton rouge et puis tu me rejoins, sur le bleu, c'est ton grand-oncle Sammy. Si jamais y a un pépin, si je ne suis pas disponible, appelle le vieux, tu peux lui faire confiance… à lui seul! C'est un téléphone privé. Pour le reste, continue de te servir du téléphone public et évite d'utiliser celui de ta planque. On ne sait jamais.

Taglione jette un dernier regard aux alentours, puis se retourne vers Jos avec un sourire. Il est plus détendu, comme décidé soudain à ne plus se presser:

— Veux-tu un petit remontant?

Il joint le geste à la parole, prend une flasque de Glenlivet dans la mallette et deux petits verres qu'il pige dans une poche le long de la portière.

— Non, Vincent, vraiment…

Taglione le regarde, étonné. Soudain il part d'un gros rire:

— C'est vrai que t'es au brown sugar… l'alcool et cette drogue du diable ne font pas bon ménage. On dit que ça rend malade comme un chien. Enfin!

Un silence. Puis Taglione poursuit:

— Je sais que tu t'es fait avoir par le jeune Ciottolo. Des gars à moi fricotent avec les leurs. J'ai toujours suivi ton ascension, tu sais? T'étais bien parti, mais t'as cru que faire l'admiration du parrain entraînerait celle du fils. Et le voilà tout en haut maintenant, depuis la mort du vieux. Avec ce que tu sais de leurs affaires et son animosité envers toi, pas étonnant qu'il veuille ta peau. Enfin… Écoute maintenant ce que je vais te dire des affaires de ta famille… Y a des choses que je ne devrais pas t'avouer mais enfin… Tu veux savoir pourquoi ton père est mort et qui a commandité son meurtre ? C'est bien ça, le jeune ?

Taglione engloutit d'un coup son verre d'alcool et s'en sert un autre. Résigné au long discours, mais curieux de ce qu'il va entendre, Jos s'enfonce dans le cuir moelleux du siège et ferme à demi les yeux.

— Tout d'abord, tu dois connaître le domaine privilégié de la mafia italienne au Québec ?

— Madone ! Je ne suis plus un enfant, Taglione ! Je ne sais pas où tu veux en venir, mais enfin… C'est le bâtiment, tout le monde sait ça, même ceux qui ne sont pas du milieu.

— Et pourquoi ?

Par les fentes de ses paupières et au-delà du pare-brise sur lequel s'échinent en vain les essuie-glaces, Jos contemple, rêveur, la neige qui tombe dru. Elle les isole.

— Tu ne sais pas ? Ici, contrairement aux vieux pays, y a encore beaucoup d'espaces libres, de vastes terrains où construire, et donc un paquet de fric à faire.

— Je sais tout ça.

— Ah ! Bon ! Je n'en étais pas certain.

Et Jos d'expliquer, pour montrer qu'il comprend :

— Des pots-de-vin glissés à quelques politiciens qui font semblant de ne rien savoir, tu te fais photographier aux noces de leurs filles ou lors de congrès en compagnie d'hommes bien mis, bien gras, bien italiens. Ces hommes bien qui sont des nôtres et mafieux jusqu'à l'os, mais qui grâce à des reconnaissances publiques imposent le respect...

— ... et soumissionnent pour les contrats les plus juteux du gouvernement : les routes, les hôpitaux, les écoles, que sais-je encore, et qui les obtiennent tous. Qui vont jusqu'à envoyer deux de leurs gars toujours bien polis rendre une petite visite à certains autres soumissionnaires qui n'ont rien compris.

«Tout ça, c'est respectable, le jeune – c'est moins sale que la drogue et la prostitution. On y trempe parce que c'est notre premier gagne-pain. Mais on couvre ces souillures de respectabilité avec des contrats de laine isolante ou d'ébénisterie pour un building gouvernemental...»

Jos s'impatiente sur son siège. Où l'autre veut-il en venir?

— Les Peone, depuis ton arrière-grand-père au moins, se raccrochent au bâtiment comme à un certificat de bonne conduite. Les Ciottolo aussi, bien sûr, mais ils sont davantage versés dans la spéculation immobilière. Tu en sais quelque chose, hein, le jeune?

Jos rougit. Ce n'est pas possible que le vieux sache... Et pourtant, oui. Taglione ne lui a-t-il pas avoué tout à l'heure qu'il avait suivi le parcours de Jos chez les Ciottolo?

Encore un souvenir dont Jos n'est pas fier. C'était quelques mois avant sa chute dans la drogue. Il avait gravi les échelons à toute vitesse; il avait la faveur du parrain Ciottolo, l'amitié de son fils aîné – du moins le croyait-il – et de l'argent à ne plus savoir qu'en faire... Encore une fois sur les conseils de Dany Ciottolo, il s'était acheté une maison à l'Île-Bizard, puis deux, puis trois... Fou de joie qu'il était! Sa première maison! Quel naïf! Il l'a acquise, persuadé qu'elle serait SA demeure familiale comme celle de la rue Rosemont l'avait été pour ses parents, en plus grand, en plus riche... Jos cherchait déjà une fille à marier chez les familles les plus influentes gravitant autour du parrain Ciottolo. Une épouse italienne, une vraie... qui lui donnerait une ribambelle de gamins.

Cela avait pris quelques semaines avant qu'il s'aperçoive que cette luxueuse demeure avait beau rutiler comme un château – n'y avait-il pas même un quai à l'arrière avec un yacht qui y était amarré? –, elle était comme un décor de théâtre, bâtie à la va-vite, prête à s'écrouler au premier grand vent! Et si toutes les maisons de la rue étaient vendues à des familles du milieu, elles demeuraient étrangement vides... Jos avait stupidement posé la question à Dany. Ce dernier s'était fendu d'un gros rire et avait pris à témoin les gars qui les entouraient dans le café:

— Tu croyais que t'allais y habiter? Oui? C'est trop drôle... Vous entendez ça, les gars? (Puis en aparté, Dany lui avait murmuré à l'oreille.) C'est pour le blanchiment d'argent... Faut faire couler le fric quand y en a trop. Y en a qui préfèrent les tableaux, mais c'est européen, cette méthode. Ici, c'est plutôt l'achat immobilier pour blanchir, et la revente pour spéculer.

Bien des illusions perdues pour Jos ce jour-là. Il faut croire que ce n'était pas suffisant puisqu'il y avait eu ensuite la drogue, et après… il avait fini par comprendre, et n'avait plus jamais fait confiance à quiconque, surtout pas à Dany Ciottolo. Mais c'était loin, tout ça… Taglione pouvait-il aller à l'essentiel ? Le vieux y arrivait justement :

— Si je t'ai parlé de la construction, c'est pour que tu ne t'imagines pas que ton grand-père était la réincarnation du Corleone, ce genre d'homme entier, tout d'un bloc et plein de sang-froid, qui refusait d'investir dans la drogue par principe et pour ne pas se salir les mains. Non, c'est beaucoup plus simple. La construction était son cheval de bataille, à ton aïeul ! Faisant de gros chiffres, il n'avait pas besoin d'ajouter la drogue comme corde à son arc.

« Ton grand-père était comme un naufragé accroché à une petite planche, alors qu'à une seule brasse de lui flotte un canot avec des rames ; il sait qu'il ne peut atteindre le rivage avec sa petite planche, mais il refuse de la lâcher. Le risque est ridicule, une brasse à peine, mais il refuse de le prendre. Ton grand-père n'avait aucune initiative, il avait peur de changer les habitudes de la famille, tout comme ton oncle Giorgio d'ailleurs… »

— C'était son droit, non ?

Jos en a marre qu'on critique son grand-père et la famille Peone. Son ton impatient ne démonte pas le vieux qui éclate de rire :

— Bien sûr qu'il avait le droit ! Mais alors, il lui fallait renoncer à la bataille. Accepter que sa famille devienne, comme plusieurs sous sa coupe, une famille mineure avec seulement un ou deux restaurants à gérer ! Les contrats de construction, il n'en aurait plus été question… Ne t'y trompe pas, le jeune, ton père avait compris. Sans son meurtre, les choses auraient été différentes. Ton oncle n'a fait que creuser un peu plus vite la tombe de ta famille. Pour vous, les Peone, il est déjà trop tard. Bientôt vous ne serez plus rien, et une autre famille en profitera.

— Impossible! Les miens vont se battre pour ne pas perdre leur place.

— C'est là que tu te trompes, Jos... (La voix de Taglione est devenue grave.) Les Peone vont s'effacer, et sais-tu pourquoi? Parce que ce n'est pas eux qui décident. Vois-tu, le jeune, qui que l'on soit dans la vie, aussi puissant et riche que tu peux imaginer, il y a toujours plus riche, plus influent que nous. L'être le plus important de la planète doit quand même rendre des comptes à Dieu.

« Les Ciottolo et les Peone ont été choisis par la Cosa Nostra américaine que JE représente pour se partager Montréal; le sud aux Ciottolo, le nord aux Peone. Et ce, dans toutes les transactions où il y a de l'argent à gagner, et surtout dans celles de la drogue. Les Ciottolo ont fait ce qu'il fallait. En moins d'un an, ils avaient le contrôle presque total du trafic de drogue de tout le sud de Montréal. Ton grand-père a fait la fine bouche. Il a proclamé que la construction rapportait suffisamment. Le marché de la drogue dans le nord n'avait qu'à être confié à une tierce famille. Pour ceux que je représente, il n'en était pas question. Et ça n'a pas changé.

« Pas question que le clan Ciottolo gère la totalité du trafic de stupéfiants à Montréal. Ça le rendrait trop important, ça lui donnerait la grosse tête, et le pousserait à l'indépendance. Pas question non plus de partager le territoire en trois. L'expérience a prouvé que si à deux on peut encore s'entendre, à trois on s'égorge. Donc pas de troisième famille non plus. Ou les Peone cèdent totalement la place ou ils se rangent, acceptent la collaboration et se mettent au marché des drogues. Déjà du temps de ton grand-père, il était urgent de prendre une décision ; le nord voguait comme un navire sans capitaine. Regarde ce qui s'y passe à présent… »

Depuis un moment, Jos ne voit plus que le bout du cigare allumé par son oncle et la lumière des réverbères tamisée par la neige épaisse qui n'en finit plus de tomber. Il écoute, abasourdi et incapable de réagir.

— … même les politiciens québécois angoissent. Puisqu'ils ne peuvent éliminer la drogue, du moins la préfèrent-ils sous notre contrôle. La mafia a prouvé maintes fois que les querelles entre gens du milieu étaient réglées proprement et discrètement. Le civil ordinaire vaque à ses affaires en toute sécurité et n'est pas obligé de voir ce qu'il ne veut pas voir.

« Le nord de la ville aujourd'hui est un véritable champ de bataille ! Puisque les Peone n'ont pas voulu du gouvernail, on a vu apparaître des gangs haïtiens qui, sans la discipline de la mafia, règlent leurs comptes dans la rue et dans le sang. Il ne se passe pas un mois sans qu'un citoyen innocent y soit mêlé, blessé ou tué par ces sauvages ! Les rues ne sont plus sûres. C'est là, fiston, que j'entre en scène… »

Jos a bien remarqué, dans le discours de Taglione, le JE qui l'associe aux rangs des familles américaines, pour lesquelles les Peone autant que les Ciottolo ne sont que des sous-fifres, des petits seigneurs tout au plus, que l'on peut priver de faveurs et de biens en un clin d'œil. Il coupe Taglione :

— Alors l'histoire qui raconte que les Genina t'ont récompensé pour services rendus exceptionnels, qu'ils t'ont donné une retraite comme on ne le voit jamais dans le milieu, et qu'ils t'ont laissé le choix de t'installer où tu voulais ?

— C'est de la frime ! (Taglione vide son troisième verre.) J'ai toujours travaillé pour eux et je continuerai de les servir jusqu'à la mort. Au moins je suis un larbin très bien rémunéré !

« Je suis arrivé à Montréal du temps de ton grand-père, moins de six mois avant son décès. J'étais là non seulement comme observateur, mais aussi comme conseiller. Ton grand-père s'entêtait dans son refus, mais à l'époque on pouvait lui laisser du temps. Il était vieux, malade, et ton père qui devait le remplacer à la barre des Peone m'avait déjà donné son accord : il s'occuperait de la drogue dans le nord au moment voulu, mais, loyal, il ne voulait pas jouer dans le dos de son père.

« Puis j'ai reçu des instructions et j'ai dû presser ton père de convaincre le sien ; nous ne pouvions plus attendre sa mort. Nous avions quelques atouts : ton grand-père avait des qualités que ne possède pas ton oncle Giorgio ; intelligent, lucide, il voulait le bien de sa famille avant le sien propre. Si on lui soumettait un résumé clair de la situation et du business de la drogue, ainsi que des arguments pour négocier avec les chefs de gangs et de motards, si on insistait sur les avantages qui en découleraient pour sa famille, on était presque certain de l'accord de ton grand-père… »

Taglione s'arrête de nouveau. Il regarde par les vitres la tempête qui, loin de se calmer, prend de l'ampleur. Il demande à Charlie de sortir pour déblayer un peu, car bientôt la Bentley risque d'être enterrée sous la neige et il ne sera pas facile de repartir.

— Enfin, ton père... Il aurait fait un grand dirigeant, tu sais, le jeune... Un peu prompt mais juste, et pas du tout rancunier... Enfin je me perds là... où j'en étais donc? Ah oui! Ton père a rencontré quelques chefs de gangs pour tâter le terrain. Il a divisé en secteurs distincts les quartiers du nord de la ville et il s'est renseigné sur le bénéfice des ventes de crack et d'héroïne. Satisfait des chiffres qui, il le savait, allaient impressionner son paternel, il s'est préparé à rencontrer ce dernier pour lui faire part de ses projets. Lui jouer dans le dos, comme je te l'ai déjà dit, il n'en était pas question. Mais ça ne l'a pas servi. Quelqu'un l'a devancé...

— Oncle Gorgio!

— Eh oui! Tu comprends alors, le jeune, ce qui est arrivé? Ton oncle avait été renseigné des plans de ton père... par ton père lui-même qui, en cette matière, a été tout aussi naïf que toi avec Dany Ciottolo. D'ailleurs, ce dernier appartient à la même race que ton oncle, celle des envieux, des égoïstes et des mesquins.

«Ce fut une soirée terrible que celle de la mort de ton grand-père. J'étais présent. J'avais été invité à souper comme tous les mardis. La Mamma avait concocté des raviolis qui m'ont sûrement laissé somnolent, car moi qui me targue d'avoir des antennes, je n'ai rien vu venir...

«Nous étions montés dans le salon particulier, tu sais, celui de la rue Rosemont. Il ne servait qu'en de rares occasions. Cette fois-là en était une, car ton grand-père avait reçu des cigares – des morceaux de choix – que nous étions en train de savourer. Il n'y avait que moi et le vieux padre Roccagelli en compagnie de ton aïeul. Le moment avait été bien choisi, ton père et tes frères ne rentreraient qu'à la nuit.

« Ton oncle nous a serré la main, puis a demandé au parrain s'il pouvait lui parler un moment en privé. Comme un imbécile, j'ai accepté et, en compagnie du padre, je suis allé rejoindre à la cuisine la Mamma et tes cousines qui bavardaient gaiement en faisant la vaisselle.

« Puis nous avons entendu les cris de rage de ton grand-père. Bien sûr, ton oncle Giorgio lui avait raconté l'histoire à sa façon. Le fait que ton père devait lui parler le lendemain et qu'il ne ferait rien sans son accord, il l'avait tu. Convaincu par les mensonges de ton oncle muni des papiers prouvant la rencontre entre les chefs de gangs et ton père, ton grand-père a cru que son aîné l'avait trahi. Les derniers mots qu'il m'a dits, sachant mes accointances avec ton père, ont été : "Sors de chez moi, salaud, et dis à tes patrons que je leur crache à la figure ! Jamais les Peone ne se saliront les mains avec la drogue !"

« De grands mots, le jeune, inspirés par ton oncle qui, à partir de ce moment, prit les rênes de la famille en main. En effet, une heure plus tard, ton grand-père avait une attaque et décédait à l'hosto. Il a juste eu le temps de rameuter le conseil autour de son lit, de renier son fils aîné, et de faire de ton oncle le nouveau parrain. »

Jos voudrait crier mais il a la gorge nouée. Quelques mots seuls passent ; on dirait des sanglots :

— Et les autres, mes oncles John, Bouboule et mon grand-oncle Sammy ? Ils n'ont rien dit ? Ils ont cru oncle Giorgio ?

— Ils l'ont cru. N'oublie pas qu'il y avait des preuves, du moins, c'était tout comme... Y a que Sammy qui connaissait la vérité. Il appuyait ton paternel, mais ne pouvait rien faire. Il voulait attendre le retour de ton père et réunir de nouveau le conseil. Mais voilà, ton père et ton frère aîné ne sont jamais rentrés... Moins d'une semaine plus tard, on repêchait leurs corps. »

Jos est pétrifié. Les coups assénés depuis plus de vingt minutes sont terribles. Taglione lui tapote le bras, amical.

— Faut que tu comprennes que ceux pour qui je travaille ne sont pas de ceux sur qui on peut baver. Si ton oncle n'a pas été destitué sur le coup et les Peone mis sur la touche, c'est que les événements des dernières années aux USA, après le 11-Septembre, ont eu des répercussions jusque dans nos affaires. Ton oncle a bénéficié d'un sursis. Mais c'est fini, et il le sait.

Jos, écrasé, articule ces mots :

— Quelle famille va être soutenue contre les Peone ? Les Roccagelli ?

Taglione répond par un battement de cils. Un moment de silence passe à regarder la neige tomber, et Charlie qui n'en finit pas de déblayer le devant de la bagnole...

— Tu sais, le jeune, t'es encore plus en danger que tu le crois. Ton oncle est piégé. Il est prêt à tout pour garder un peu de pouvoir. Comme il sait que les Peone sont finis, il essaie de sauver sa peau. Nous avons la preuve qu'il tente de s'allier à Dany Ciottolo. Il lui suggère même de nous tenir tête et de prendre le contrôle sur tout Montréal. J'ai été surpris que tu sortes vivant de ta rencontre avec lui. Si j'avais su où tu te planquais, je t'aurais fait prévenir, mais maintenant je préfère ne pas le savoir…

Jos se rappelle son oncle au café, et sa main, il en est sûr, qui tenait une arme. Il en parle à Taglione. Ce dernier n'est pas surpris :

— T'as été bougrement chanceux, le jeune. C'est un pissou… il n'a pas eu le cran de faire la job lui-même. Tu lui as pas dit où tu te planques, t'es sûr ? Il va essayer de te coincer pour faire plaisir à ce salaud de Dany Ciottolo. Ton grand-oncle Sammy doit te remettre les papiers dans un mois. Reste en contact avec lui. Tu as le téléphone direct maintenant. Il va essayer de te donner les papiers une journée avant la date prescrite par le padre Giorgio. Il ne veut pas être l'appât pour te prendre. En attendant, il joue le jeu… comme nous tous…

Jos s'apprête à répondre lorsque la portière de son côté s'ouvre brusquement. La neige s'engouffre dans un grand coup de vent froid.

— Boss ! Y sont là, juste derrière, au bout de la rue. Y nous ont pas encore vus mais c'est une question de minutes…

— Compris ! Installe-toi tout de suite au volant et barre la rue comme convenu. Quant à toi, le jeune, sors et cours jusqu'au premier taxi ! Qu'est-ce que tu attends ? Grouille !

Un coup dans les côtes projette Jos hors de la Bentley. C'est une situation critique où la survie repose sur de bons réflexes. Jos court, maladroit, sur ses grosses jambes que son propre poids et la neige entravent comme des boulets. Il sait qu'il ne devrait pas, mais tourne tout de même la tête pour jeter un œil à l'auto de Taglione que Charlie a fait pivoter. Juste au-delà, il perçoit des phares qui approchent à vive allure malgré le temps. Il entend aussi la voix du vieux. Ce dernier, il en est sûr, crie ce qui lui semble être le mot « urgent », mais il n'en est pas certain. Bien sûr qu'il y a urgence ! Enfin, il ouvre la porte avant du côté passager du premier taxi, et plonge sur la banquette. Le chauffeur, un Noir amical au grand sourire blanc, croit que c'est la tempête qui a fait se précipiter son client. Il appuie nonchalamment son bras contre l'accoudoir, décidé à faire un brin de causette avant de décoller. Jos lance un autre coup d'œil par-dessus son épaule ; deux hommes sont sortis de la voiture bloquée par la Bentley, et cavalent dans sa direction. Jos hurle un « Démarre ! » si impératif que le chauffeur en rapetisse sur son siège, le pied enfoncé sur l'accélérateur.

Les idées se bousculent dans l'esprit de Jos. Il a été à bonne école et se ressaisit vite. Le taxi ne peut être poursuivi pour l'instant grâce au stratagème de Taglione. Les sbires de Ciottolo devront faire tout le tour du parc Molson pour le rejoindre, car ils n'oseront pas s'en prendre directement à Taglione. Du moins, Jos l'espère. Cependant, ils ne seront pas longs à contacter la compagnie de taxi et à se renseigner à leur façon sur la destination de celui où il se trouve. Jos ordonne au chauffeur terrifié de continuer tout droit jusqu'à Mont-Royal et de l'y laisser. Il en sera quitte pour guetter un autre taxi, qui le mènera plus proche de la piaule. Il se calme et reprend souffle. Soudain, il réalise que dans sa précipitation il a oublié le sac de billets. Ce n'était pas le mot « urgent », mais « argent » que Taglione lui criait dans la tempête. Eh oui, il a oublié de prendre l'argent !

Chapitre VII

Ce matin, le ciel pleurniche, crachote une pluie fine presque invisible. Cette nuit, le thermomètre a bondi au-dessus de zéro. Il ne reste du blizzard d'hier qu'un paquet de neige sale et boueuse. *On aura droit à un beau verglas demain*, se dit Jos, la tempe collée à la fenêtre de sa chambre.

Il se sent malade, nauséeux. *Madone! Ce sera ainsi jusqu'au départ*, pense-t-il, furieux contre lui-même. Comment a-t-il pu être assez stupide pour oublier la pochette avec l'argent? Il n'avait qu'un geste à faire... Ces dernières années ont détruit ses réflexes, rendu sa peur plus nocive... *Imbécile!* Son poing droit frappe le mur. Ça calme.

Dehors, des silhouettes s'affairent dans la neige. Armées de pelles, elles nettoient l'entrée de leur immeuble ou de leur boutique, d'autres tentent de dégager leur voiture.

Son retour d'hier a déclenché un vrai drame. C'est mouillé, transi, haletant comme un naufragé sorti de l'eau après des kilomètres de brasse qu'il a fait son entrée dans l'appartement. Fredo somnolait sur le divan, maussade comme toujours. À la vue de son aîné, il s'est redressé d'un bond. Emma qui tapait d'une main distraite sur son ordinateur s'est contentée d'un prosaïque :

— Rien qu'à te voir, on a compris…

Déjà son frère serrait les poings, commençait à gueuler et à se plaindre.

Jos a refusé de répondre aux questions avant de s'être changé. Il s'est réfugié dans sa chambre dont il a pris soin de verrouiller la porte. À vrai dire, c'était plus pour joindre Taglione en privé que pour se mettre au sec qu'il s'était barricadé. Le téléphone portable et le revolver étaient toujours glissés dans la ceinture de son pantalon. Jos a caché l'arme et les munitions sous son matelas et, après avoir jeté pêle-mêle sur le lit son poncho mouillé et ses foulards, il a pesé sur la touche du portable. Taglione a répondu à la première sonnerie et Jos a dû s'asseoir au bord de son lit, les jambes coupées de soulagement.

— Tu es bien rentré, le jeune ? T'as changé de taxi ?

Jos hochait la tête comme si le vieux pouvait le voir. Mais ce dernier semblait habitué à prendre le silence pour un acquiescement. Il a poursuivi vite et très bas, comme par peur d'être entendu :

— Alors tout est bien. Mais pour l'argent… tu vas faire une croix dessus et te débrouiller comme tu peux… On ne peut plus se voir et tu dois rester planqué… le mieux serait que tu ne sortes plus du tout jusqu'à ce que tu ailles chercher les passeports. J'ai prévenu ton grand-oncle Sammy. Tu dois l'appeler deux jours avant la date prévue pour votre rencontre. Il fera tout pour te remettre les papiers ce jour-là, à l'insu de Giorgio. Sammy te fait dire qu'il te laissera de l'argent pour ton transport jusqu'à l'aéroport et les frais de douane. Il te remettra aussi le fric que t'as oublié dans ma bagnole. Mais jusque-là, tu ne dois compter que sur toi et ne faire confiance à personne… tu m'entends ? À personne, pas même à ton frère… Tu promets ?

Jos se taisait toujours.

— Juste Sammy, fiston, personne d'autre… Allez, bonne chance…

Un silence sur la ligne, puis on raccrochait pour de bon.

Son frère tambourinait de temps en temps à la porte et lorsque, après une bonne dizaine de minutes, Jos lui ouvrit habillé de frais, Fredo ramollit comme du beurre sous le regard de son aîné.

Le pusher était maintenant au salon et son frère n'avait pu que le suivre sans oser un seul commentaire. Emma y était aussi, installée sur la chaise qu'elle s'était appropriée. Elle tenait un livre à la main ; madone ! elle avait toujours un satané livre à la main ! Cela irrita Jos, sans raison, et comme il passait devant elle pour aller s'asseoir dans le fauteuil, il saisit le bouquin et le projeta violemment sur la table. La jeune femme ne protesta pas, se contenta de le regarder d'un air calme. Fredo, bien sûr, s'était avachi sur le canapé avec un profond soupir. Puis Jos les regarda tour à tour en fronçant les sourcils avant d'aboyer soudain à Emma :

— Comment ça s'est passé, ta journée chez ton gourou ? T'as eu ce qu'il faut ?

— Pas vraiment.

La jeune femme avait bien retrouvé le gourou, toujours flottant sur son toit, sauf qu'un de ses disciples s'était fait choper à l'aéroport avec de la came. Maître David avait donc un stock plus réduit que d'habitude pour passer l'hiver. Il n'avait pu lui céder que deux grammes. Par contre, elle avait une bonne nouvelle, car le gourou, devant sa mine dépitée, lui avait facturé le prix d'un gramme pour les deux. Elle était donc revenue avec deux grammes et deux cent cinquante dollars. Elle tendit les billets à Jos ainsi qu'une enveloppe contenant l'héroïne que Fredo regarda passer sous son nez avec avidité. Il avait dû trouver difficile d'attendre le retour de Jos, mais ce dernier n'était pas d'humeur à s'occuper de la drogue avant d'avoir mis les choses au point, même si lui aussi souffrait d'un manque cuisant.

Il leur raconta enfin ses déboires et lorsqu'il en arriva à l'argent laissé dans la Bentley, il reçut ce à quoi il s'attendait : l'expression désolée d'Emma et celle pleine de fureur de son frère. Ce dernier, bondissant du sofa, hurlait, pour une fois sans crainte, devant son aîné :

— Qu'est-ce qu'on va faire, hein, Jos ? Deux ridicules petits grammes pour plus d'un mois ! C'est impossible ! Il en faudrait trois par semaine, et encore ! Compte pas sur moi pour me mettre au sevrage… j'en suis incapable et en plus, je ne veux pas ! T'as compris ? Je ne veux pas ! C'est ta faute si on est dans la merde… C'est à toi qu'ils en veulent, pas à moi. Ça m'tente pas non plus de partir en Sicile… une île perdue et misérable où y a que des cailloux pis des chèvres. Pourquoi j'partirais d'abord ? J'y ai pensé… c'est comme pour Emma, après ton départ, y nous laisseront tranquilles et j'pourrais retourner travailler au restaurant de Taglione…

— T'es pas sérieux, Fredo…

— J'suis sérieux ! J'veux pas m'en aller, pis j'veux pas manquer de drogue ! Ça prend d'l'argent…

Puis, soudain, Fredo avait ri, un rire hystérique qui crevait les tympans. Il bégayait, hoquetait, puis il s'était remis à parler en phrases hachées :

— J'viens d'y penser… à mourir de rire… même avec du fric… impossible… le gourou n'en a plus… où l'acheter la drogue, hein ? Où l'acheter ?…

Emma tentait de le calmer, lui tapait sur l'épaule comme à un enfant et, sans tenir compte de Jos qui lui faisait signe de s'éloigner, elle lui dit, assurée :

— Je connais un autre endroit, un autre vendeur indépendant. C'est dans le quartier chinois…

— Pis pour l'argent ? chuchota Fredo, appuyé contre l'épaule d'Emma.

— Je vais vendre mon ordinateur portable. Il n'a que deux mois et c'est une bonne marque.

— Y a plein d'autres choses qu'on peut vendre ici.

Fredo tournait la tête de gauche à droite, évaluait, estimait, pesait tout ce qui se trouvait dans la pièce. Rassuré, comme si les deux autres avaient donné leur accord pour cette basse manœuvre, il ramena ses yeux vers Jos sans prêter attention au dur regard de son aîné :

— J'm'excuse d'avoir gueulé, Jos. Bien sûr, j'vais partir pour la Sicile… mais le manque me fait dire n'importe quoi ! Mademoiselle ne voulait pas m'donner de smack avant qu't'arrives. Mais là tu peux m'en donner. T'as entendu Emma, Jos ? Elle va nous trouver d'la drogue.

Jos tremblait de dégoût. De dégoût envers son frère. La scène salissait, souillait tous les Peone, les ancêtres comme ceux d'aujourd'hui et même ceux à venir.

Pleurer, gémir sur la poitrine d'une femme comme un gamin, puis parler de vol comme si c'était l'habitude de la famille Peone d'agir comme les derniers des délinquants… aucun honneur, aucune dignité! Jos eut envie de frapper mais se contint. D'une voix forte, il martela plutôt, comme des clous qu'on enfonce:

— On n'est pas des voleurs, du moins pas les Peone. On ne vendra rien. Rien de ce qui appartient au peintre. C'est clair?

Emma joignit les mains en un geste de gratitude; elle était bien prête à céder son portable, mais pas les biens du peintre. Jos continua:

— Quand est-ce que tu peux vendre ton ordi? lui demanda Jos.

— Peut-être demain matin.

— Vois à ce que tout ce qui a de la valeur dans cette baraque retourne chez notre bienfaiteur. Fais-toi aider de l'assistant du peintre, s'il le faut. Faudrait pas trop tenter Fredo, hein? Mon frère est capable d'aller vendre les petites cuillers!

Fredo avait blêmi sous l'insulte mais s'était tu. Jos ne lui avait pas encore remis sa dose pour la nuit; il ne voulait pas le fâcher davantage. Il se contenta de serrer les poings et de regarder Jos avec des yeux suppliants.

Jos lui dit qu'il ne lui verserait qu'au jour le jour sa dose:

— Faut te tenir en laisse, sinon tu vas tout prendre d'un coup…

Il ajouta avant de s'enfermer pour la nuit:

— On aura près de sept cents dollars après la vente du portable et l'opium est plus puissant que l'héroïne.

C'est bien dans une fumerie d'opium, qu'on va acheter du stock?

Emma acquiesça.

— Alors, l'argent qu'on recevra du portable suffira pour combler notre manque jusqu'au départ. Acheter l'opium sera notre dernière sortie... et il n'est pas question, Fredo, que tu restes ici. Tu nous accompagneras.

— T'as pas confiance en moi?

— Non.

Jos est ramené au présent par la petite silhouette d'Emma qui chemine sur le trottoir, chargée comme une fourmi. Elle a suivi ses instructions à la lettre. Dès l'aube, la jeune femme débarrassait l'appartement de tout objet ayant quelque valeur. À voir ses traits tirés, elle avait effectué plusieurs voyages. Un instant, Jos se demande s'il ne devrait pas l'aider. Un instant seulement.

Il s'éloigne de la fenêtre et s'approche d'un tableau accroché au mur au-dessus de son lit. La toile pleine de couleurs vives représente une plage où plusieurs jeunes négresses, comme vêtues de pans de soleil lumineux, ramassent des coquillages tout perlés de nacre. Les teintes exubérantes du tableau jurent avec la grisaille de cet hiver montréalais et augmentent la migraine de Jos.

— C'est une excellente reproduction de Gauguin, lui a dit Emma. C'est Tahiti. Le peintre y a vécu longtemps. Magnifique, hein?

Mais pour Jos, c'est du gribouillis. Pour lui, c'est plutôt l'endos du tableau qui représente quelque intérêt. Entre le cadre et la toile, il a glissé le sachet de drogue. Il s'en saisit.

Il s'assied sur le bord du lit et déverse le contenu de l'enveloppe sur la table de chevet. Une petite colline de poudre dorée, couleur cassonade, qu'un simple souffle pourrait balayer et faire disparaître. Une poudre qui coûte un max. Une saloperie de drogue dure qui détruit l'âme.

Jos connaît bien ce monde d'illusions que procure l'héroïne. Il aimerait bien, ce matin, ne pas subir son joug, mais le martèlement de ses tempes et la sueur qui coule dans son dos lui enlèvent toute volonté. Il sort un petit sac en peau de chamois caché sous son matelas : l'attirail du parfait consommateur : une petite balance, une cuiller, une lame de rasoir, un tube d'eau, du coton, un briquet, une seringue et quelques carrés de papiers destinés à être pliés pour former des sachets.

Jos étale le tout sur le lit, saisit la lame et les papiers, les dépose sur la table près de la drogue. D'une main sûre malgré ses doigts épais, il sépare la drogue en plusieurs petits tas. Grâce à une longue pratique, il pourrait se passer de balance, son œil expert est capable de jauger le demi-point, mais avec un si petit stock, il doit éviter l'à-peu-près.

Il opère depuis peu lorsqu'il entend des pas précautionneux dans le corridor, puis une respiration derrière la porte. C'est Fredo, bien sûr. Il attend sa dose du matin. Imperturbable, Jos poursuit son travail. Il entend un soupir de déception et le bruit de pas, sonores cette fois, vers la cuisine. Son frère le croit encore endormi. Tant mieux ! Qu'il attende !

La cohabitation avec son cadet lui est devenue une torture ; de savoir son frère si près lui met les nerfs à vif. Il n'endure plus Fredo, sa veulerie, sa lâcheté. Le père aussi supportait mal le benjamin et ne se privait pas de dire que Fredo n'avait pas de sang dans les veines et qu'on n'en ferait rien de bon. Même la Mamma, pourtant si maternelle, quand d'aventure elle trouvait son plus jeune avachi en train de lire, lui retirait vivement le bouquin des mains :

— T'es pas une fille pour lire des romans ! T'es tout maigre et tout pâle. Va jouer avec tes frères, bouge, que diable ! Une lavette, voilà ce que tu vas devenir...

Ça ne manquait jamais, Fredo se mettait à brailler et c'était pire :

— Vas-tu arrêter à la fin ? Tu me fais honte !

Et la Mamma levait les bras au ciel comme pour prendre Dieu à témoin, ou la Madone qu'elle priait plusieurs fois par jour :

— Sainte-Mère de Dieu, je vous en prie, endurcissez le cœur de ce garçon. Qu'il ne fasse plus honte à sa famille !

Les prières n'avaient rien donné. De guerre lasse, la Mamma avait confié Fredo à Jos. Depuis ce temps, celui-ci se contentait d'un «Ta gueule !» quotidien, sans plus.

Si Fredo avait été intelligent, au moins. Jos, un temps, l'avait cru ou avait voulu le croire, et en avait presque convaincu la Mamma. Cet acharnement à lire par exemple :

— Tu sais, M'ma, qu'on devrait peut-être laisser Fredo lire autant qu'il veut ? Taglione m'a dit qu'il n'y avait pas juste les muscles qui comptaient. Comme le padre Roccagelli qui est tout maigre, mais qui connaît plein de choses... Peut-être que Fredo pourrait devenir prêtre ou docteur...

Mais non! Fredo ne lisait que des romans faciles. Toute autre lecture le rebutait. Ses notes en classe étaient lamentables, bien inférieures à celles de Jos qui pourtant était loin d'être un génie. On laissa faire Fredo sans plus le sermonner, attendant qu'il trouve sa voie. Il continua donc de pleurnicher, de rester seul dans son coin, de jouer la perpétuelle victime… victime de la vie peut-être…

Le pire était que Fredo s'était attaché aux pas de Jos comme une ombre. Sûrement parce que l'écart d'âge entre lui et son aîné était moindre qu'avec ses deux autres frères. Ceux-ci vivaient déjà leur vie et ne lui prêtaient aucune attention. S'il ne restait pas à la maison, Fredo suivait Jos partout, constamment! Avec les années, ça ne s'était guère arrangé et Fredo avait souvent mis son frère dans l'embarras, voire pire, comme ce fameux jour du règlement de comptes… Et Fredo ne l'avait-il pas suivi jusqu'à se mettre lui aussi à consommer? Mais Jos n'en était pas responsable, du moins tentait-il de s'en convaincre.

Il y avait quelques années, son frère avait sonné au loft. C'était du vivant de Tatou. Il avait déballé sur la table du salon une seringue et un sachet d'héroïne, puis regardé Jos de son air têtu et borné:

— Tu m'fais mon premier shoot pour me montrer?

Jos lui avait asséné un coup de poing magistral:

— Jamais! Tu es malade ou quoi? Je t'ai déjà dit non.

Ce n'était pas la première fois que Fredo lui faisait une telle demande. Jusque-là, son cadet se bornait à vouloir lui acheter de la drogue comme n'importe quel client, ce que refusait Jos. Mais là, il avait déjà son stock et menaçait son frère:

— Tu sais que c'est dangereux et qu'y a de l'air qui peut se glisser dans la seringue. On me l'a dit. De toute façon, j'suis décidé. Si tu ne me montres pas comment faire et qu'y a une bulle d'air, tu seras responsable de ma mort!

— T'es fou? Si tu y tiens tant que ça, fume-la au lieu de te l'injecter, mais jamais je ne shooterai mon frère!

— Impossible, c'est d'la blanche...

— Alors, sniffe-la!

— Ça ne fait pas le même effet! On me l'a dit.

Jos avait continué de refuser, et ça, personne, surtout sa conscience, ne pouvait le lui reprocher. Mais ce morveux, ce pleurnichard, s'en était pris alors à Tatou. Il croyait que Jos n'écoutait pas et qu'il servait un client:

— S'il te plaît, Tatou...!

— Jos t'a dit non, Fredo. N'insiste pas. Ton frère m'en voudrait à mort.

— T'aimes mieux que j'risque ma vie?

— T'as qu'à ne pas le faire.

Fou de rage, Jos avait mis Fredo à la porte avec un coup de pied au cul.

Mais Fredo, entêté, était résolu à faire en tout point comme son aîné. Il était revenu à la charge. De guerre lasse, Jos avait échangé à son frère sa blanche contre du brown sugar et lui avait lissé un papier d'aluminium:

— Celle-ci se fume. L'effet est presque aussi puissant que celui procuré par l'injection.

Fredo avait inhalé la drogue et, quelques jours plus tard, un junkie lui apprenait à se l'injecter. Jos était donc innocent de la dépendance de son frère. Pourtant, un nœud de culpabilité lui nouait les tripes toutes les fois qu'il se remémorait l'événement.

Jos eut soudain un geste maladroit et de la poussière dorée vola sur le tapis. *Merde! Merde!*

Qu'aurait-il pu faire ou dire pour empêcher son frère de consommer? Est-ce que son père, ses frères, ou même la Mamma auraient cédé à une telle demande? Non. C'est ce qui lui faisait peur à Jos. Que la faiblesse de Fredo n'ait déteint sur lui.

Et ces dernières années, comment Jos les avait-il passées? En végétant; pas d'énergie pour se laver, pour sortir, plus la force même de penser ou de parler. Épuisé dans l'âme! Fatigué même par le téléphone dont la sonnerie lui était devenue si insupportable qu'il avait fini par le lancer contre le mur du loft.

D'ailleurs tiens, il y pense. C'est parce qu'il n'avait plus de téléphone que Taglione n'avait pu le prévenir des intentions meurtrières du parrain Ciottolo et de celles de son oncle. Taglione n'avait pu le prendre sous son aile; ce qui aurait été normal. Même déchu, Jos était un homme d'affaires et un mafieux! Jos a dû alors se fier à un clochard et à une ex-junkie pour l'aider dans sa fuite!

Qu'il soit à présent dans un appartement confortable ne lave pas son humiliation. Il y a quelques années, il possédait plus de cinq maisons, pas des petites mais de vrais châteaux! Et il avait plus d'un demi-million de dollars américains répartis un peu partout. Devoir sa vie à la foi qu'avait Molinari dans le talent d'Emma est déshonorant. Jos revoit le regard de Molinari, vif, décapant, devant lequel il s'est recroquevillé comme un ver. Il a l'air d'un raté et ne le supporte pas. Pas devant un homme, un vrai, comme l'est le peintre. C'est un compatriote pourtant, et même si le monde mafieux est étranger à l'artiste, il comprend la dignité qui, elle, est universelle. Oui, Jos doit retourner le voir, comme l'y encourage Emma. Ne serait-ce que pour le remercier d'avoir accepté un tel locataire !

Jos soupire comme on sanglote. Le goût de vivre lui est revenu, mais sa dépression lui colle au train telle une abjection.

Emma l'a deviné. Emma ! En voilà une dont il sent les nerfs solides. Si elle agit souvent comme une servante envers autrui, elle le fait avec dignité et contrôle, ce qui montre bien que tel est son désir. Jos sait qu'une demande de sa part, un tant soit peu en dehors des principes ou de la morale de la jeune femme, recevrait un non catégorique. Emma lui a dit, il y a peu :

— Ton problème, Jos, c'est que ton esprit est bourré de préjugés, d'idées toutes faites que tu considères comme des vérités immuables. Mais tes expériences, la modernité qui t'entoure, rien n'est conforme à ce qu'on t'a appris ; la Cosa Nostra refusait de se salir les mains avec le trafic de stupéfiants ? C'est ce qu'on t'a appris, et c'était vrai ! Mais regarde aujourd'hui, rares sont les grandes familles qui n'ont pas le nez poudré. Tu en sais quelque chose avec les Ciottolo ! Et puis tu t'es mis à consommer… Et tes valeurs familiales ? Elles éclatent maintenant… Mais tu es intelligent, le doute s'insinue en toi (autre grimace), des questions surgissent… tu ne veux pas te questionner… tout ton corps se bloque comme une porte verrouillée, et tu épuises ton énergie à refuser de voir ce qui est, à t'accrocher à ce qu'on t'a inculqué.

« C'est pour ça que t'as cassé ; ta pensée s'affolait comme ces rats qui font tourner des roues dans leur cage.

Pour survivre, il a fallu que tu fasses le vide complet. À présent, il y a toute la place, mais tu y enfermes de nouveau tes doutes et tes questions… Ouvre la porte, que diable! Réfléchis!»

Madone! Ces mots d'Emma, il les rumine. Cela l'épuise. En plus, elle n'est même pas de son milieu ni de sa race; qu'est-ce que la jeune femme peut bien connaître de la famille et de l'honneur? Des foutaises, du vent, des grands mots! Si seulement il parvenait à s'en convaincre…

Cette seule pensée lui enserre le crâne dans un étau. Comme toujours, il chasse cet effort de réflexion. Jos referme le dernier petit sachet destiné à Fredo, puis replace ce qui reste dans son étui. Il a prélevé pour lui-même un demi-point de smack et se prépare une injection.

Une fraction de seconde puis le calme, la paix, le bien-être le bordent. En un tour de main, tout son attirail de parfait accro est rangé. Jos saisit le sachet réservé à Fredo et d'une démarche souple, légère malgré ses kilos, il rejoint son frère au salon. Fredo doit se languir; qui ne serait pressé d'atteindre le bien-être total, la plénitude, le bonheur… même pour quelques heures?

Dans l'encadrement de la porte, Jos s'arrête pour regarder Fredo. *On dirait qu'il n'a pas de colonne*, songe-t-il. Le cadet est, comme à son habitude, vautré sur le sofa, les membres étalés en des poses improbables tel un mannequin disloqué. Ses épaules sont voûtées, sa poitrine, creuse; son visage est maussade, boudeur. *Une vraie tête à claques*, se répète Jos pour la millième fois. Et son frère se croit irrésistible. Deux bonnes générations en retard sur la mode, il cultive un look de Gino Camaro. Sa chemise blanche de serveur toujours ouverte jusqu'au troisième bouton laisse voir une pâle poitrine couverte de breloques clinquantes. Malgré ses allures de jeune premier, il n'a eu que quelques copines. En fait, il a surtout fréquenté des prostituées; des femmes très jeunes sur lesquelles il peut faire pression. Du moins, c'est ce qu'il s'imagine, mais entre elles les filles se gaussent de lui. Elles le surnomment « le faux prêtre » à cause de ses mines sournoises.

Mais attention aux moqueuses! Fredo est diablement rancunier et se venge cruellement. N'a-t-il pas fait violer sa dernière petite amie par trois affranchis trop heureux d'obéir ainsi à un fils de la famille Peone? La Mamma, encore en vie à l'époque, a bien failli le renier tant elle avait de flétrissure et de rage au cœur. Il a fallu étouffer l'affaire pour sauver l'honneur de la famille.

Fredo est lâche! Il fait partie de ces êtres qui considèrent une fois pour toutes que le fardeau que la vie leur impose les écrase. Il est donc inutile de se redresser et de le porter. Comme des parasites, ils épient les gens de leur entourage afin d'en trouver d'assez charitables ou d'assez idiots pour porter le fardeau à leur place. *Comme je le fais depuis des années*, pense Jos. *Par responsabilité envers mon cadet et par respect pour la promesse faite à ma mère...*

Fredo soudain l'aperçoit. Il se précipite, la paume ouverte.

— Tu pourrais dire bonjour.

Fredo ne répond rien, mais lève sur son aîné des yeux larmoyants sur un teint de cire. Mal à l'aise d'avoir pris tout son temps avant de venir le soulager, Jos lui glisse le sachet dans la main et marmonne en désignant la table du salon:

— Tu peux faire ça ici, Emma est partie vendre son portable. Je vais à la cuisine me faire un café.

Il démarre la cafetière. Son frère apprécierait sûrement d'avoir un peu de café; juste après un shoot, c'est le nirvana. Il hésite, regarde la tasse de Fredo près de l'évier puis s'en détourne.

De retour au salon, Jos est une fois de plus saisi par le changement opéré chez le drogué qui vient de prendre sa dose; le teint est soudain plus clair et le regard, hautain et rêveur, à cause des pupilles réduites à la taille de têtes d'épingles. Les consommateurs de coke ou de hasch disent alors que l'héroïnomane est un snob prétentieux.

Fredo s'est redressé, oh! juste un peu. Il n'est pas dans sa nature de se tenir droit. Une auréole de légèreté et de bonheur flotte au-dessus de lui. Cela ne dure pas et un voile de peur brouille bientôt cet air béat.

La peur d'avoir peur. C'est le grand drame du junkie. À moins d'être «très très beaucoup riche», comme le dit Taglione qui, après plus de deux décennies au Québec, parle toujours mal le français, ou de posséder une solide réserve de smack, le drogué ne bénéficie que quelques instants des effets paradisiaques de l'héroïne. Et il s'inquiète déjà de son prochain shoot. Or, pendant qu'il est en forme, il lui faut agir, s'agiter, trouver sa prochaine dose. En début de manque, la nausée le plie en deux, les os lui font mal, il ne peut espérer alors trouver des sous.

Bien sûr, Fredo sait que son frère a des doses toutes prêtes pour lui, mais il les lui remet toujours à la dernière minute, parcimonieusement. Fredo tremble à l'idée que son aîné lui refuse soudain le prochain sachet. Que cela ne se soit jamais produit ne le tranquillise pas du tout, au contraire! Fredo est un fataliste qui prend ses peurs pour des prémonitions. Il compte sur le temps pour lui fournir un sursis. La question n'est pas de savoir si son frère refusera de lui donner sa prochaine dose mais quand cela arrivera. Et comme tous ceux qui ont le don de provoquer leur propre malheur, Fredo s'arrange pour que la situation appréhendée se produise. Il ne peut demander de garder ses doses sur lui. Jos lui répondrait qu'il les prendrait trop vite. Il se met donc à lui chercher querelle pour évacuer sa frustration d'être ainsi contrôlé. Il commence par s'indigner. Son frère a osé déménager les objets de valeur!

— C'est comme si tu m'faisais pas confiance!

— Mais je ne te fais pas confiance!

Fredo ne l'entend pas, parcourt le salon de long en large, tout à son idée. Est-ce le temps humide, la trop grande proximité d'êtres dont la peur de mourir prend trop de place, ou simplement une accumulation de griefs entre deux frères qui se ressemblent aussi peu? Toujours est-il que l'orage qui gronde sourdement entre eux depuis l'enfance éclate enfin.

— Pour qui tu t'prends pour m'faire la morale pis me regarder toujours comme si j'étais d'la merde?

— Ta gueule, Fredo!

— Y a toujours fallu qu'tu joues les durs de durs… Tu t'prends pour un autre. Le caïd! Regardez le grand homme! T'es-tu vu l'allure? T'es gros que c'en est dégoûtant. Tu baves quand t'es gelé, t'as un triple menton pis des yeux qu'on voit même plus dans ta graisse. T'es fini, Jos…

— Je t'avertis, Fredo… ta gueule!

— Ta gueule sinon quoi? Tu m'as entraîné dans la drogue de toute façon…

Et voilà! Jos savait qu'un jour Fredo la ramènerait, cette histoire. Fausse d'ailleurs. C'est Fredo lui-même qui avait insisté jusqu'à l'usure. Pourquoi diable Jos éprouve-t-il toujours de la culpabilité? Il réplique cependant:

— C'est faux!

— Si, c'est vrai…

La voix du cadet passe à l'aigu et va crescendo:

— Si, c'est vrai, ou c'est tout comme, car tu savais que j'te suivrais. T'as toujours tout fait pour me dénigrer auprès des autres. T'aurais pu m'faire travailler pour notre famille ou pour les Ciottolo! Oh, peut-être pas un poste de confiance comme t'as eu, quoique j'aurais fait aussi bien, ça c'est sûr, et même mieux, car le résultat est pas fameux, tu dois l'avouer…

Comment expliquer à Fredo que la Mamma avait tenté de lui trouver un poste de courrier (le plus petit poste que puisse convoiter un membre d'une famille mafieuse, tout juste après celui d'affranchi) et qu'oncle Giorgio s'était esclaffé:

— Mon neveu Fredo, courrier? Non, jamais! Pas même comme bouffon de la famille. Il trouverait encore le moyen de faire des gaffes ou de nous trahir! Par contre, notre neveu Jos est le bienvenu et il peut commencer presque au sommet. Pourquoi ne parles-tu pas de lui, Fabiola?

La Mamma avait esquivé la question. Pour Jos, qui avait alors seize ans, elle avait d'autres plans. Elle méprisait et haïssait son beau-frère. Giorgio avait commandité le meurtre de son mari. Elle le savait et ne voulait à aucun prix que Jos travaille pour lui. Il irait du côté des Ciottolo et, plus tard, vengerait son père. Fredo n'avait été proposé que pour endormir la méfiance du parrain. Tout ça, Jos était incapable de l'expliquer à son frère. Pas plus qu'il ne pouvait lui révéler ce qu'avait répondu le parrain Ciottolo lorsque Jos avait avancé le nom de son cadet pour une opération mineure :

— Ton frère, c'est d'la merde. Tout c'que j'peux pour lui, c'est lui trouver une place de serveur dans l'un des restaurants de Taglione.

Et, depuis ce jour, Fredo était serveur.

Il marche toujours de long en large, à grandes enjambées ; depuis le début de leur dispute, il doit bien avoir parcouru un kilomètre !

— Oh ! Oui, j'aurais mieux fait qu'toi si on m'avait fait confiance. T'as tout perdu. Pis ces dernières années, hein ? Ces dernières années où t'as été juste un pusher, caché dans ton trou comme un rat ! C'est toi qui nous as mis dans cette merde, à toi d'nous en sortir ! Pis y est pas question que j'me prive de smack. Si tu n'en trouves pas assez, je sais ce que j'aurai à faire...

— Tu feras quoi ?

Fredo s'arrête, l'affronte du regard peut-être pour la première fois de sa vie, et ricane :

— Tu verras bien !

Tant d'insultes et, en dépit de sa colère, Jos est satisfait : ce dont il avait peur, c'était d'être pareil à son cadet et cette crainte vient de s'envoler. Malgré la rage qui l'habite, et quoi de plus naturel devant la mauvaise foi et les mesquineries de Fredo, Jos se contrôle parfaitement ;

il n'est ni impulsif ni cruel. Il a un rire bref que son frère reçoit comme une gifle, puis :

— Je vais te donner ta prochaine dose comme d'habitude, après souper, la même quantité, ni plus ni moins. Tes états d'âme, je m'en fous.

Fredo n'a aucune prise sur Jos qui, pour son frère et pour bien d'autres, est une paroi nue, sur laquelle tout glisse. Mais ce calme, ces quelques mots cinglants, ce regard qui pénètre dans le vôtre puis qui vous survole comme si vous n'étiez rien… tout cela, c'est trop pour Fredo qui, dans un moment d'hystérie totale, se jette sur son frère. Son but est de frapper, frapper, frapper jusqu'à ce que ce bel édifice de morgue et d'indifférence se fissure. Et même cela, il n'y parvient pas ! Malgré sa mauvaise santé et la graisse qui noie sa carcasse, Jos est fort. D'un seul bras, il replie celui de Fredo derrière son dos, jusqu'à le faire se plier de douleur, au bord des larmes. Comme si ce n'était pas suffisant, l'aîné le projette contre le mur ; tout ça avec maîtrise, avec une colère sourde qui ressemble à de l'ennui. Terrassé, Fredo s'écroule au sol avec de longs sanglots. Au même instant, la porte d'entrée s'ouvre avec fracas et la voix joyeuse d'Emma s'élève entre eux comme une trêve :

— Hey, Jos ! J'ai eu six cents dollars pour mon portable. Pas pire, hein ?

Puis le son de sa voix se casse. Voir Fredo au plancher, accablé et larmoyant, lui suffit. Elle est de celles qui comprennent vite. Elle tend à Jos une liasse de billets. Ce dernier, les yeux braqués sur le fric, ne voit pas le regard que lui lance Fredo.

Un regard de pure haine.

Chapitre VIII

Madone! Jos se le répète pour la millième fois, assis les fesses serrées sur une chaise dont les pattes tanguent sous son gros derrière.

Depuis leur arrivée dans le quartier chinois, le pusher s'est raidi comme en pays ennemi. Car ici, la Chine est tellement chinoise que le quartier italien, par comparaison, en est très québécois. Lui, pourtant habitué aux enclaves cosmopolites qui baragouinent plusieurs langues, perd pied devant la mystérieuse Asie. Il n'aime pas ça. Pas du tout!

Des petites rues, de vieilles bâtisses blotties les unes contre les autres et dégorgeant une foule de petits êtres jaunes, des commerces à n'en plus finir, des restaurants munis d'enseignes aux noms mystérieux, et des épiceries qui étalent jusque sur les trottoirs des denrées étranges.

En Jos, l'idée de voyage, d'exotisme, de dépaysement, n'allume ni plaisir ni curiosité. Il est de ces gens qui ne se soumettent pas à la culture du pays où ils ont émigré mais qui imposent la leur; qu'ils soient en Inde, en Afrique, voire en... Chine, pour eux, le monde doit être un prolongement de leurs désirs et répondre à leurs besoins. Ce monde est donc tout au plus une vaste boutique, le peuple, des clients potentiels, et le paysage, un panneau publicitaire! Jos continuera où qu'il aille à rêver d'une maison ornée de marbre, vrai ou faux, avec des sculptures de madones sur la pelouse, et d'une terrasse où l'on mange des spaghettis accompagnés d'un vin sicilien…

— On devrait raser ce quartier, a-t-il dit en arrivant.

— T'es fou? Pourquoi? lui a lancé une Emma outrée.

— D'abord, parce que c'est le haut lieu de la pègre chinoise…

Emma a ri. Jos ne voyait rien de drôle à ce qu'il venait de dire.

Elle a ajouté:

— Toi? Un mafieux italien qui dit ça… c'est trop comique! T'aimes pas parce que tu ne connais pas, c'est tout. Ça va changer, suis-moi. Toi aussi, Fredo. Non mais… raser un des quartiers les plus intéressants de Montréal où tu manges la meilleure bouffe chinoise… sans parler des épiceries où on déniche un tas de trucs étranges et délicieux…

La jeune femme continuait sa nomenclature, mais dardait des prunelles indignées sur Jos. Lui qui pénètre dans le café de son oncle grouillant de tueurs avec aisance, il suit Emma avec des craintes de gamin.

Ils sont arrivés dans le quartier chinois vers vingt heures, emmitouflés jusqu'aux yeux pour déjouer les informateurs. Ce doit être leur dernière sortie avant un mois et demi et Jos a insisté pour que son frère les accompagne. Après la dispute de la veille, et pour tout dire avant même qu'elle ait eu lieu, Jos répugnait à le savoir hors de sa vue; il s'en méfie trop.

À vingt heures en février, aussi bien dire qu'il fait nuit noire, mais des lanternes en papier ciré éclairent les rues trop étroites. Une fourmilière humaine, une foule de gens malgré l'heure, grouille autour d'eux; ils parlent plusieurs langues dont aucune n'est familière à Jos.

— Qu'est-ce que ce charabia? a-t-il osé demander à Emma qui semble toujours tout connaître.

Une fois de plus, elle ne le déçoit pas:

— C'est du mandarin. C'est ce que tu vas entendre le plus souvent par ici... mais il y a aussi beaucoup de touristes et, tu vois, les deux grosses dames là-bas avec le grand homme gris qui a l'air d'un officier? Bien, ils parlent allemand. Et ceux-là...

— O.K., O.K., moi, j'y comprends rien!

Ce qu'il ne comprend pas non plus, le pauvre, c'est cette béatitude plaquée sur le visage d'Emma; elle évolue dans ces rues mystérieuses comme une native du lieu.

Par exemple l'odeur: infâme! Pourtant la jeune femme s'est exclamée:

— Comme ça sent bon!

Emma pointait le doigt vers un restaurant dont les émanations faisaient lever le cœur de Jos.

Et Fredo! Depuis hier, il boude et ne les a suivis que contraint et forcé, mais voilà qu'il a tout l'air de partager l'exaltation de l'écrivaine! Non mais...

Un cauchemar! Enfin, Emma les entraîne dans une étroite ruelle en arrière des restaurants. Jos y trouve un certain répit: gens et voix semblent s'être évaporés d'un seul coup, il n'y a que l'odeur qui persiste.

Il s'éponge le cou qui ruisselle malgré le froid:

— Madone! On n'est pas au Québec! Impossible! Y a personne qui parle français! Pis il me semble qu'on me regarde de travers… T'es sûre, Emma, qu'on ne se fera pas avoir? Tes trafiquants sont de la Yakusa et…

— De la Triade, Jos. La Yakusa, c'est la mafia japonaise, ce n'est pas la même chose.

— Eh bien pour moi, si! Dans tous nos conseils, on nous met en garde contre eux. Ils sont très forts… qu'ils soient japonais ou chinois, leur influence s'étend de plus en plus et ils contrôlent déjà l'électronique, la restauration, et… et tout finalement! Ce sont les ennemis naturels de la mafia italienne!

Emma le regarde, bouche bée. Jamais il n'a tant parlé. Elle en déduit qu'il est nerveux et lui touche le bras:

— Jos, calme-toi. Où on va, personne ne sait qui tu es et tu n'as qu'à te taire. On n'en a que pour quelques heures. Après ça, tu seras bien heureux d'avoir assez de drogue pour tenir jusqu'à ton départ. Ça vaut la peine, non?

Pour toute réponse, il soupire et continue de la suivre docilement. Fredo lui lance un regard sarcastique que Jos brûle d'éteindre d'un coup de poing.

Ils continuent leur marche en silence. Lorsque Emma s'arrête subitement, Jos se cogne à elle.

— C'est ici, chuchote-t-elle.

— Ça ne me dit rien qui vaille…

— Chut!

Le long mur semble être l'arrière d'un restaurant. *Il y en a partout ici, de ces foutues huttes à bouffe*, songe Jos. Et, tout haut, alors qu'il vient d'apercevoir quelques ombres de bêtes sur le sol:

— Madone! C'est plein de mouffettes!

— Attention qu'elles ne nous pissent pas d'sus, plaisante Fredo. On puerait l'diable pour rencontrer tes amis et j'suis pas sûr qu'ils apprécieraient…

— Avec l'odeur qui règne ici, m'étonnerait qu'ils sentent la différence, grommelle Jos.

— Oh! Jos! Franchement! Va falloir que tu t'habitues au dépaysement. Tu pars pour la Sicile! D'accord, c'est ton île natale, mais t'en es parti tout bébé. Même si tu y as de la famille riche et qu'ils ont un grand domaine, ça va quand même te donner un coup. Crois-moi, car j'ai beaucoup voyagé! Le climat est rude là-bas, le paysage rocailleux, sévère, les gens méfiants…

— D'abord, si j'y vais, c'est par obligation. Et puis, c'est comme un pèlerinage…

Ici, Jos se tait, frustré de s'être confié, et qui plus est à Emma, une femme, une ex-junkie et une étrangère aux familles.

Emma a contourné les bêtes puantes, boudé la porte arrière de la cuisine d'où filtrent de la lumière et un brouhaha de conversations, pour s'arrêter devant une large fenêtre obscure presque de plain-pied avec la ruelle. Du dos de la main, elle tambourine sur la vitre à un rythme soutenu. Une lueur apparaît et, des profondeurs obscures de la pièce, Jos croit voir de longs doigts jaunes s'agiter dans leur direction.

— Ça y est. Ils nous ont vus. Laissez-moi faire et, s'il te plaît, Jos, range cet air hautain et dédaigneux si tu veux obtenir du stock!

Ils reviennent sur leurs pas et jettent des regards soupçonneux aux mouffettes affairées. La porte arrière des cuisines s'ouvre sur un bruit de voix et de vaisselle qu'on entrechoque. Un jeune Chinois se montre dans l'embrasure pour les inviter à le suivre.

Un long corridor. Ils longent les cuisines, une salle à manger vaste et pleine de touristes, puis une autre salle, petite, intime, qu'on devine réservée à des clients choisis. Le jeune asiatique leur montre une table et, avec force gestes, leur indique de s'asseoir.

— On n'est pas là pour manger, commence Fredo.

— Je t'ai déjà expliqué qu'il fallait faire ce qu'on nous demandera sans rouspéter. Tu comprends? Il faut qu'on ait l'apparence de vrais clients.

— Mais...

— Ta gueule, frérot!

Et voilà qu'on vient les servir; des plats à n'en plus finir. Ils inspirent tellement de répulsion à Jos qu'il prend bien garde d'y toucher. Fredo, qui ronchonnait il y a quelques instants, s'empiffre, et Emma savoure un plat de riz aux crevettes avec l'air d'être au paradis.

Le pusher se donne des airs d'affranchi et pianote sur la table comme quelqu'un qui s'ennuie. Son corps tendu souffre de tout ce qui l'entoure; la musique pour commencer; malgré les dires d'Emma, ça ressemble pour lui à des miaulements. Ensuite l'odeur plus violente ici que dans les rues; il en a la nausée! Enfin, ces fruits de mer presque crus qui semblent bouger dans l'assiette de ses comparses, ou encore cette chaise qui menace de céder sous son poids, ce décor dans la pénombre avec ses lanternes ornées de monstres, l'osier sur les murs, et ce rideau de bambou qui sert de porte... Tout l'oppresse jusqu'à l'écœurement. Il est inquiet aussi de la présence de deux gros Chinois assis à la table opposée à la leur. Ils marmonnent dans leur jargon impossible et les lorgnent du regard. Ils ont l'impassibilité de ces bouddhas de plâtre que l'on vend dans les bazars.

Le supplice dure bien quarante minutes. Jos qui n'en peut plus voit arriver près d'eux un étrange duo : deux petits nabots asiatiques d'à peine un mètre vingt. Si pour Jos tous les Chinois se ressemblent, ceux-là à n'en pas douter sont des jumeaux identiques. Leurs gestes sont synchronisés, leurs têtes se rapprochent jusqu'à se toucher lorsqu'ils se parlent, et leurs hanches, lorsqu'ils marchent, semblent ne former qu'un corps. Leur sourire est mielleux, trop mielleux, et fend telle une cicatrice leur face citronnée. En compagnie d'Emma et de Fredo, Jos suit ce curieux tandem vers le sous-sol du restaurant. Il sent ses poils se dresser sur ses bras et a soudain l'impression que les jumeaux ne marchent pas mais glissent au-dessus du sol, tels des fantômes ! Et ce couloir souterrain, un vrai labyrinthe, étroit, sombre, étouffant… On l'imaginerait plutôt dans un ghetto juif de la vieille Europe, lorsque fuir et se cacher étaient des priorités ! Dans le Montréal du vingt et unième siècle, c'est une incongruité, et pourtant… Peut-être les fait-on tout simplement tourner en rond pour les empêcher de mémoriser le chemin ? *Ma foi*, se dit le mafioso, *si c'est leur but, il est atteint. Impossible de revenir sur mes pas sans me perdre…*

Finalement, ils atteignent un petit escalier de seulement trois marches qui descend vers ce qui semble au premier abord… un mur !

— C'est quoi, l'problème ? s'exclame un Fredo moins enthousiaste qu'à leur arrivée. C'est un cul-de-sac ici ! Y a rien d'autre qu'un mur.

Mais Wang et Wei ou Wu et Wang, enfin peu importe les noms dont ils se sont affublés, lui lancent de leurs quatre yeux un regard ironique. De leurs gestes en parfaite harmonie, ils poussent chacun d'une main ce qui est en fait une porte coulissante. Derrière, trois autres marches puis une porte épaisse cachée par un paravent, repoussée elle aussi par leurs guides. Il en filtre de la lumière et des voix. La porte ouvre sur une salle de vaste dimension.

Quel spectacle! On se croirait en Orient au dix-neuvième siècle! Sur un tapis de brocart luxueux sont placées plusieurs tables rondes d'un beau bois de chêne, une dizaine au moins. Des chandeliers à profusion diffusent une lumière chaude et vivante sur une vingtaine d'Asiatiques vêtus de tuniques de couleur assis autour des tables. Cigarette à la bouche et enveloppés de lourds nuages de fumée, ils ont tous des cartes dans les mains. Des dollars et des jetons sont empilés devant eux. Des serveurs stylés, tout en noir, s'empressent autour des joueurs, des plateaux chargés de verres à la main.

Jos retrouve son assurance. Malgré le décor qui en jette, il reconnaît le tripot clandestin. Rien de surréaliste ici ni d'inquiétant, à part peut-être le regard méfiant des joueurs à leur entrée. Le mafioso a vite fait de les écraser du sien, et son gros corps se fait plus lourd, plus massif. Mais cette attitude s'avère moins efficace ici et les yeux posés sur lui se durcissent. Emma lui presse le bras:

— Arrête tes simagrées, Jos, tout de suite! Rappelle-toi ce que je t'ai dit. Tu vas nous attirer des problèmes.

— Je ne suis pas sûr qu'on n'en ait pas déjà. Faut qu'il te fasse rudement confiance, ton contact, pour nous laisser voir sa salle de jeu en plus de nous vendre de l'opium. Il y a un tas d'argent qui se brasse ici, je m'y connais! Jamais le parrain ne ferait une telle gaffe. Ils ne nous connaissent pas, à part toi. Ils ne peuvent pas savoir si on va les dénoncer. Tu vois comme ils nous dévisagent? Prêts à nous découper en morceaux, ouais...

Tout en chuchotant, Jos pose les yeux sur son frère. Celui-ci, terrorisé, s'agrippe au manteau d'Emma. Jos surprend les sourires méprisants en direction de son frère. Ce qui irrite le plus Jos, c'est la sérénité d'Emma. La sienne n'est qu'un masque pour camoufler une colère qui ne le lâche plus. Une violente impulsion le pousse à défier la jeune femme du regard et à frapper Fredo du revers de la main; un coup si violent que les genoux de son cadet ploient sous le choc. Sans tenir compte du regard courroucé d'Emma et sans plus se soucier des joueurs ni de son avorton de frère, le mafioso campe son opulente carcasse face à leurs siamois de guides. Tant pis s'ils ne le comprennent pas: Emma n'aura qu'à traduire. Il en a marre! Les milieux crapuleux lui sont familiers, et il sait comment jouer.

— Alors? Qu'est-ce que vous attendez pour nous mener à votre boss? On est ici pour affaires et on n'a pas toute la vie!

Le sourire doucereux toujours estampé au visage, comme s'ils ne se rendaient pas compte de la tension ambiante, le duo fait force courbettes et, dans un même geste, les invite à les suivre:

— Par ici, messieurs, madame, patron vous attendre...

Et voilà! Jos savait bien qu'ils comprenaient leur langue, ces hypocrites!

Le trio se met donc en marche derrière leurs éclaireurs. Ils traversent toute la salle et se faufilent derrière le bar en forme de fer à cheval. Encore une fausse cloison et les voilà dans une petite antichambre sombre qui, après le luxe de la salle de jeu, n'en a l'air que plus sordide. Pour seul mobilier, un large divan au tissu sale et élimé, une table branlante et seulement deux fusains qui ornent l'un des murs de ciment.

— Vous, attendre là !

Le duo s'éclipse par une petite porte et Emma s'approche des deux dessins :

— Intéressant ! Le premier représente le dernier empereur de la dynastie Ming devant le palais d'été, alors que l'autre montre, au même endroit, l'empereur de la dynastie suivante, les Manchous, en compagnie de son épouse…

— Qu'y a-t-il d'intéressant là ?

— Sur le premier tableau, les femmes qui entourent le monarque ont toutes les pieds bandés et le dessinateur a voulu qu'on le remarque puisqu'il ne leur a pas mis de chaussures. Je sais que l'un des empereurs de la dynastie Ming a déclaré devant sa cour que les belles femmes étaient celles avec de petits pieds ; la mode a suivi ; on a bandé dès la naissance ceux des filles pour empêcher leur croissance.

— Madone ! Quels sauvages, ces Chinois, marmonne Jos.

— Pas plus que les Italiens, leurs Borgia et leurs poisons et… enfin ! Ce que je voulais dire, c'est que les femmes manchoues, elles, n'avaient pas les pieds emmaillotés. Regardez ! Voyez l'impératrice manchoue toute harnachée, ses pieds nus et… non bandés. Je sais que ça a fait toute une histoire. Bien des Chinois n'approuvaient ni le changement de règne ni la trop grande liberté que les Manchous permettaient aux femmes…

— O.K., Emma, laisse tomber tes kings et tes manchots, je crois que nos zigotos se ramènent !

En effet, ils sont là mais ne sourient plus. D'un air pénétré et d'une seule voix douce, ils annoncent :

— LUI est à côté et attendre vous. Mais avant, vous faire serment… Tu venue… Tu leur dis ?

Emma incline la tête et explique :

— Je ne croyais pas qu'on serait obligés d'y passer… Je l'ai déjà fait… enfin…

— Enfin quoi ? s'impatiente Jos.

— Pas grand-chose. Chacun de nous se coupe une mèche de cheveux et nos amis les tresseront ensemble. Puis, nous devrons prêter serment de ne jamais mentionner à quiconque cet endroit ni ce qui s'y passe. Vous devrez tout oublier et ne jamais revenir. Nous sommes étrangers et, comme tels, il est exceptionnel que nous soyons accueillis et qu'on accepte de faire affaire avec nous.

— En effet, souffle Jos. Je ne comprends d'ailleurs pas cette exception.

— Ce serait trop long à t'expliquer… Le Chinois que tu vas rencontrer doit la vie à Jean-Marie. C'est en mémoire de lui qu'il accepte d'aider la compagne du défunt. Mais ce sera la dernière fois. Moi-même, je ne serai plus la bienvenue si d'aventure je me pointe de nouveau ici…

— Mais qu'est-ce qu'y vont faire de nos cheveux après ? Y vont nous les rendre, j'espère ? demande Fredo, plus pâle que le mur sur lequel il s'appuie.

Dans son manteau, il a l'air misérable. Un début d'ecchymose, là où Jos l'a cogné, gonfle et bleuit l'une de ses joues.

— On dirait que tu as peur qu'ils les utilisent à je ne sais quelle fin maléfique. C'est juste un rite, une tradition. Je l'ai fait la dernière fois et rien de grave n'est arrivé. Voyons, Fredo, qu'est-ce qui te prend ? Lâche-moi !

Mais Fredo, en proie à une crise de panique, s'accroche, refuse de lâcher le manteau de l'écrivaine.

— Ça suffit, Fredo. T'es fou ou quoi ?

Jos le gifle une fois, deux fois et enfin son frère reprend ses esprits. Il émet même une remarque ironique :

— Pour une fois qu'tu m'frappes pis qu't'as raison d'le faire…

Jos est mal à l'aise lui aussi mais, comme d'habitude, ne le laisse pas voir. Il se coupe rapidement quelques cheveux à l'aide des petits ciseaux que lui tend l'un des guides et en maugrée pour la forme :

— Qu'on en finisse avec ces conneries…

Puis, chacun s'étant dépouillé de quelques poils et ceux-ci ayant été tressés en un temps record, on passe au fameux serment de non-retour.

Jos trouve d'un ridicule achevé cette mascarade. Il s'y prête à regret et se demande ce que son père et son grand-père, deux êtres craints et honorés, auraient pensé de ce fils et petit-fils boursouflé, drogué, pourchassé et obligé de venir en quémandeur faire des salamalecs à ces nabots.

Enfin ! Après avoir débité d'une voix lugubre, à la suite de leurs guides, des paroles étranges en langue inconnue, puis en français : « Nous faisons serment de respecter l'anonymat de ces lieux et ses mystères... de n'y plus songer... de n'y plus revenir... », les comparses peuvent pénétrer dans la fumerie d'opium où les attend Poon Leah, le rescapé de Jean-Marie et grand maître du lieu.

C'est surprenant! La pièce n'est pas plus grande que le loft qu'habitait Jos. De plus, elle est sale, dénudée et sordide. Une douzaine de paillasses crasseuses et puantes jonchent un sol douteux. Il n'y a rien pour orner la pièce. Impossible de dire de quoi sont faits les murs ternes et gris. Une seule personne est présente, un Chinois géant et obèse. Jos paraît petit à côté et doit lever la tête pour rencontrer l'étrange regard du fameux Poon Leah. Car on les cherche, ses petits yeux sombres enfoncés dans la graisse du visage. Ce qui semble vous regarder, c'est cette tache de naissance au beau milieu du front du bouddha ; on dirait l'œil du cyclope Polyphème dans l'*Odyssée* d'Homère.

Les frères siamois partis, les voilà seuls avec l'énergumène. Celui-ci se retire dans un coin avec une Emma si petite qu'on dirait David face à Goliath. Ils ont un long conciliabule, puis la jeune femme revient vers les deux frères :

— Il faut essayer la marchandise, Jos.

— On ne peut pas l'acheter et partir ? demande Fredo tout pâle.

Jos pour une fois est d'accord avec son frère. Il ne le dit pas, le rabroue plutôt :

— Pour qu'on se fasse avoir ? Non, on va l'essayer, son stock. D'ailleurs, je suis sûr que, d'habitude, il y a plein de fumeurs d'opium ici. Si c'est vide aujourd'hui, c'est que les opiomanes ne tenaient pas à rencontrer des étrangers dont ils se méfient. Pas vrai, Emma? C'est pour ça qu'il n'y a personne?

Emma ne répond pas mais se retourne vers le monstre. Celui-ci sort un étui de cuir de la poche ample de sa longue tunique et désigne des paillasses de la main.

— C'est que moi, je n'en prends pas…, dit Emma

Il n'est pas question pour la jeune femme de risquer sa sobriété chèrement acquise. Une fois de plus, le mafioso admire sa ténacité. Il se croit aussi capable d'un tel exploit. Emma, comme tous les anciens accros à l'héroïne nettoyés de la drogue, sait déceler chez ses anciens frères de galère ceux qui s'affranchiront. Jos en fait partie, elle n'a aucun doute à ce sujet et le lui a dit. Emma a eu l'écriture pour l'aider, et Jos possède l'ambition et l'orgueil. En revanche, Fredo, incapable de rigueur et perpétuel velléitaire, usera de stupéfiants toute sa vie. Se saborder ainsi, quel dommage! Mais qu'est-ce qui est le plus triste: Jos devenu sobre qui va retourner travailler pour la mafia et ainsi favoriser la vente de drogue et détruire des gens, ou son cadet qui se détruit lui-même?

Jos et Fredo s'allongent sur les paillasses. Poon Leah leur tend deux longues pipes, puis se dirige vers la porte, l'entrouvre et revient avec les deux guides. Ces derniers ont chacun en main un petit cube de pâte brun foncé qui ressemble à du haschisch. Ils en tirent chacun un morceau pas plus grand qu'un ongle et les pétrissent de leurs doigts habiles. Ils retirent un petit grillage inséré dans le culot de chaque pipe et y déposent la boule d'opium. Ils tendent ensuite cérémonieusement de longues boîtes d'allumettes en bois aux deux fumeurs, puis se placent chacun à la tête d'une des paillasses. Délicatesse que l'esprit fin d'Emma apprécie ; il s'agit de veiller sur les rêves du fumeur tout en lui laissant son intimité. Pour Jos, c'est une agression. Pressé d'en finir, il allume sa pipe puis s'étend sur son lit de fortune, imité par son cadet qui n'en mène pas large.

L'effet est foudroyant ! Beaucoup plus intense que celui du smack ; l'esprit s'ouvre comme une fleur, lavé de tout. Ce que Jos a toujours apprécié de l'héroïne, il le retrouve ici multiplié par vingt ; un bien-être intense, une légèreté du corps et de l'esprit qui, tout en vous gardant votre lucidité, la multiplie à l'infini. Ici, plus de doutes, plus de tourments, plus d'angoisse. Hissée à des hauteurs peu communes, l'âme fait fi des contingences physiques : la salle sordide devient un nid douillet, tout y est beau et propre ; l'esprit le veut ainsi. Toute la saleté véhiculée par le monde et les hommes se purifie d'elle-même comme par magie. La vie paraît si belle ! L'émotion éprouvée, on aurait du mal à la décrire ! Jos sait que, même en quittant cette oasis pour revenir à la pitoyable réalité, l'avoir connu le coupera des autres à jamais. Comme s'il ne faisait plus partie de la *game* !

Le reste du temps s'écoule dans les songes, mais cette béatitude a un revers effroyable ; ce que redoute le plus le narcomane, plus que le manque physique terrible en soi, c'est cette déréliction, cette froidure qui accable l'âme lorsque, avec l'évaporation du poison, se referme la porte du rêve. Avoir connu le paradis, puis le perdre ! Le retour terrible, la réalité plate, terne, incolore, le corps lourd, malade, et le regard des autres qui jugent. Vite, vite, vite une autre dose pour oublier, pour échapper au réveil ! Et voilà le cercle vicieux, le processus sans fin des damnés de ce monde !

Ils regagnent leur logement en taxi et dans un profond silence. Encore embrumé par l'opium, Jos se souvient à peine d'avoir remis l'argent à Emma pour qu'elle négocie l'achat de drogue. La jeune femme tient le stock précieusement à l'abri sous son manteau, ainsi que deux pipes ornementées de dragons, cadeaux de Poon Leah. Un taxi les attendait à l'entrée du restaurant et le mafioso a semblé bien soulagé de ne pas avoir à parcourir de nouveau les sombres ruelles du quartier.

Bien calé sur le siège avant, à côté du chauffeur, Jos somnole. Tout est pour le mieux. Avec la quantité qu'ils ont achetée et la force de frappe de l'opium, ils n'ont plus de soucis à se faire ; ils n'auront aucune peine à attendre le départ dans la sécurité de l'appartement et n'auront pas à sortir avant quatre semaines pour récupérer les passeports. Ensuite, il n'y aura que quelques jours encore à patienter et adieu Montréal, adieu Québec !

Le pusher s'imagine déjà à l'abri, déjà victorieux. L'avenir déploie devant son esprit encore plein d'illusions une suite ininterrompue de jours ensoleillés.

Chapitre IX

Comme presque tous les matins depuis deux semaines, Jos accompagne Emma chez le peintre, juste à côté. C'est le seul déplacement que le mafioso ose se permettre hors de l'appartement.

L'air est spongieux, difficile à avaler en ce début de mars. Le ciel est bas, oppressant, rasé de nuages ronds et sombres pareils à de petits yeux méchants prêts à noyer le monde.

— Je crois que Fredo ne veut pas partir, Jos.

Emma n'est pas stupide. Si le pusher la suit dans sa visite quotidienne chez le vieux peintre malade, ce n'est pas pour l'amour de l'art, mais pour fuir son frère. C'est une évasion. La seule présence de Fredo dans la même pièce hérisse son aîné ; il ne peut plus le sentir, Emma l'a bien vu ! Et Fredo, par provocation, ne fait rien pour calmer le jeu.

— Il ne veut pas arrêter la drogue non plus.

Jos s'immobilise brusquement.

— Tant pis pour lui, il n'a pas le choix !

Il aurait un tas de choses à dire sur ce sujet, mais il est incapable de les exprimer.

— Il dit qu'il peut rester ici et que, comme moi, il ne risque pas sa peau. Il sait qu'il ne compte pour rien dans le milieu, et pour toi non plus. Il en souffre…

— Madone! Ça suffit!

Il n'ajoute rien, mais poursuit sa réflexion. *Fredo se trompe. Ils ne le tueront pas, mais il continuera à se droguer s'il reste ici. Il continuera à frayer avec le milieu qui lui en fera baver d'être mon frère. D'ailleurs Taglione ne le reprendra pas pour travailler dans l'un de ses restaurants. Et, c'est moi qui lui fournissais ses doses gratis. Avoir un frère pusher, c'est pratique, mais que fera Fredo lorsque je serai parti, hein? Il deviendra une crapule prête à tout pour un shoot? Il finira en prison, ou quêteux.* Juste d'y penser, Jos frissonne. Pas question qu'un Peone en arrive là!

— Il fera ce que je dis, et c'est tout. J'arrête bien la drogue, moi! Jamais la famille au pays n'acceptera qu'on consomme et je peux te dire que ça fait mon affaire. Ils vont être heureux et fiers de… comment t'as dit déjà? Le grand mot que t'utilises tout le temps? Ah oui! La souillure! Fiers de nous laver de toute souillure…

— Ben justement…

— Justement quoi?

Et pour montrer qu'il attache peu d'intérêt à la réponse, Jos se remet à se dandiner sur ses grosses jambes, enflées et douloureuses, en reprenant sa marche. Son corps ne peut plus, ne veut plus se doper, et son cœur harassé est maintenant un moteur usé, près de s'arrêter.

Emma le rattrape:

— Écoute, Jos! Ce que j'essaie de te dire, c'est que je ne suis pas certaine que ça aille tout seul avec Fredo. Il risque de te poser des problèmes quand il sera temps de partir. Je le sais, je le sens, et je ne serais pas surprise qu'il t'arrange un coup à sa façon… Regarde ce qu'il vient tout juste de faire. Tu es comme un bœuf. Il t'a mis un anneau dans le nez et il tire!

Voilà! Elle a trop parlé. Mais merde! Il doit comprendre! Il est en danger, et deux fois plutôt qu'une; Fredo est une bombe à retardement et cette tête dure de Jos le sait, mais ne veut pas l'admettre. Elle se tait, craignant la réaction du mafioso. S'il ne supporte pas son frère et le méprise, il déteste qu'un étranger à la famille se mêle de le juger:

— Ne viens pas me mettre en garde contre lui et me dire quoi faire! Mêle-toi de ce qui te regarde! Mon frère est sous ma protection! Il va me suivre où que j'aille, et il fera ce que je dis. Compris?

Emma hoche la tête. Cet entêtement à ne pas voir la vérité est dangereux. Mon Dieu! Emma ne peut forcer une telle carapace.

Jos, lui, ressasse ses derniers griefs contre son frère. Celui-ci ne s'est pas contenté des doses octroyées; des doses pourtant raisonnables qui leur permettaient d'être confortables et de ne pas se trouver à court avant le départ. Non! Il a voulu se défoncer jusqu'au délire. Le grand jeu, quoi! Il a trouvé la cachette de son frère, derrière le tableau de sa chambre, et il a fumé plus des deux tiers du stock! Il en reste assez, grâce à Dieu, pour tenir jusqu'au départ, mais si peu... Fredo a été bien puni puisque l'opium, beaucoup plus concentré en opiacé que l'héroïne, l'a rendu malade comme un chien. C'était il y a deux jours, et encore ce matin, il rendait tripes et boyaux. Bien fait pour lui!

Jos était fou de rage. Une telle inconscience à moins d'un mois du départ! Même s'ils réussissaient à se procurer de l'argent – et d'ailleurs où en trouver, hein ? –, ils ne pourraient plus se procurer de drogue ! Fredo pleurait, vomissait :

— J'm'excuse, Jos ! J'te jure qu'je l'ferai plus…

Il était beau à voir ! Aussi vert qu'une feuille d'arbre au printemps, ses rares cheveux collés de sueur, les joues maculées de larmes et la bouche pleine de bave. Derrière le repentir affiché par ses yeux, Jos a lu que son frère regrettait seulement de souffrir.

— Tu ne le feras plus, Fredo, parce que le stock qui reste ne me quittera plus !

Alors qu'il chemine avec Emma, le mafioso tapote du doigt sa ceinture à glissière sous le poncho. Elle contient tout l'opium qui leur reste. Fredo n'en aura plus que la grosseur d'une noix chaque jour. Pas plus, même s'il pleure et supplie à quatre pattes !

Cependant, Emma a raison et il le sait. Fredo est prêt à tout pour forcer la main de son frère, du moins à presque tout, car Jos le croit incapable d'une vraie trahison. Fredo ne voudrait pas affronter la grande famille de Sicile, qui le mépriserait bien plus que celle de Montréal, plus moderne, plus au fait des problèmes de drogue. D'ailleurs, maintenant qu'il a accès au nirvana, il ne peut plus s'en passer.

— Bah ! Il s'y fera, marmonne Jos en passant la porte d'entrée.

Jos déteste approfondir un sujet ; cette fois comme toutes les autres !

Chez le peintre, les deux visiteurs acceptent avec plaisir le café que l'infirmière leur a préparé. Discrète, elle repart vers la cuisine, gardant la porte entrouverte au cas où l'on aurait besoin de ses services. Jos s'enfonce avec délice dans le large fauteuil style Louis quelque chose… un fauteuil digne d'un roi de France dans le temps. Il se l'est attribué lors de leur première visite, l'a trouvé parfait, à la mesure de son gros corps, et le considère comme le sien à présent. Il aime cette pièce, moins austère que les autres où il s'imagine en pénitence. Celle-ci est gaie, avec une haute et large fenêtre donnant sur Sainte-Catherine.

Ils sont dans le petit salon. Il y en a un plus vaste à côté, mais trop impersonnel pour les entretiens d'Emma et du peintre. Après un salut courtois de son hôte, accompagné d'un regard perçant, Jos devient un élément du décor. Les sujets dont s'entretiennent les deux autres sont de ceux qui le laissent froid, il n'y comprend rien.

Les deux parlent littérature, peinture, philosophie, musique… Des noms étranges comme Spinoza, Althusser, Wagner, Steiner surprennent les oreilles de Jos. Pourtant, peu à peu, comme un palais développe le goût d'une cuisine exotique à l'usage, il se prend à écouter leur conversation avec la vague nostalgie d'avenues plus larges, d'horizons plus vastes et de hauteurs à l'air plus vif. Jos sait que l'érudition est précieuse. Ce qui le trouble aussi, c'est cette métamorphose complète d'Emma lorsqu'elle s'attarde avec le peintre sur la littérature ou les œuvres qu'elle travaille. Elle s'anime, ses joues rosissent et ses yeux pétillent. Sa voix se fait forte, son débit s'accélère, et ses bras et ses mains parlent en gestes larges et ondoyants. Jos en est fasciné. Même le peintre semble ému. Chose étrange, Jos songe dans ces moments-là à son frère, chez qui apparaît parfois une parcelle de cette passion si grande chez Emma. Peut-être que, dans un autre contexte, dans une autre famille… Mais non! Fredo n'a pas la force de ses désirs. Enfin, si Jos éprouve de l'admiration, du respect pour ce qu'il entend, il se préfère au fond tel qu'il est, avec des buts clairs et des idées précises! Au moins ainsi, il sait où il va, ce qui n'est pas toujours simple. N'empêche! À écouter le doux babil des autres, il lui vient des envies de savoir…

Par exemple, ces propos tenus par Emma l'autre jour! Le peintre et elle discutaient de spiritualité. Molinari, élevé dans la foi catholique, ne pratique pas. Toutefois, si près du terme de son existence, il se questionne sur le but de la vie. Il a ses opinions, Emma, les siennes. Ce jour-là, elle a dit:

— Lorsqu'on naît, on est quelqu'un et on est unique. Pourtant, toute notre vie, on essaie de prouver qu'on EST. Au lieu de communier avec la nature, les bêtes et les êtres, et de croître physiquement et spirituellement, on s'étiole et on sème un peu partout de cette unicité, que ce soit à la recherche de reconnaissance, de pouvoir ou d'argent. Nos idoles sont de faux dieux. Ils nous entraînent à nous abreuver dans des coupes dont le nectar acide nous détruit. On n'est plus qu'une coquille sans vie, un corps qui est le tombeau d'une âme morte d'avoir été privée de nourriture. C'est un monde bien malheureux que le nôtre, où l'on n'existe que par le portefeuille, les poings, et où, dans le meilleur des cas, le raisonnement prime sur le cœur!

Depuis lors, ce discours hante Jos comme si son cœur en cherchait désespérément le sens, alors que sa tête n'y pige rien.

Aujourd'hui, il n'y aura pas de longue discussion. Le grand homme est plus mal en point que d'habitude. Son corps maigre tremble dans sa robe de chambre rayée de blanc et de bleu, «sa préférée», leur a-t-il déjà dit. Le temps et l'usure la lui rendent précieuse. Écrasé sur sa chaise roulante, dieu qu'il paraît fragile! Les yeux bordés de rouge larmoient et Jos devine la souffrance qu'il cache. Le gargouillement de ses poumons malades est pénible à entendre et la bonbonne d'air reliée à un tube qui lui passe par les narines ne semble guère le soulager. Il suffoque, inhale avec peine, au point où Emma propose de revenir un autre jour.

Il refuse. L'infirmière, que questionne la jeune femme du regard, leur dit de rester:

— Vos visites lui font plaisir et il n'a plus beaucoup de joie. Restez puisqu'il le veut, mais ne le fatiguez pas trop. Je serai à côté au cas où...

Ils restent donc! Et alors que Jos commence à rêvasser, aidé en cela par la mini-dose d'opium qu'il a prise au petit-déjeuner – oh! à peine! juste pour ne pas subir les tourments du manque –, voilà que le peintre s'adresse pour la première fois directement à lui:

— Vous savez, monsieur, comment déjà? oui, monsieur Peone, que j'ai toujours été contre la drogue. Quand je dis Contre, c'est avec une majuscule. Je sais qu'Emma a consommé longtemps et je crois que vous-même en usez encore... Eh bien, imaginez que me voilà drogué à mon tour! Qu'en pensez-vous, monsieur?

Jos a un haut-le-corps qu'il ne peut réprimer. Pour lui, la drogue a toujours été un produit illicite et il ne lui était pas venu à l'esprit que son vis-à-vis parlait de médicaments prescrits par un médecin et non des drogues de la rue. Il a un instant la vision du peintre cheminant dans les rues, dans sa chaise roulante poussée par son infirmière, à la recherche d'un pusher! Le sourire ironique d'Emma – elle a deviné ce qu'il imagine – lui fait comprendre son erreur. Il rougit et balbutie un «Vraiment, monsieur?» lamentable.

— Eh oui! Mon médecin m'a prescrit de la morphine à haute dose pour soulager mes souffrances. Je puis donc à présent juger de l'effet des opiacés et saisir ce qui pousse des gens, surtout des jeunes, à en devenir esclaves...

Ici, une quinte de toux l'arrête, il peine à reprendre son souffle.

— Je comprends... Je comprends, bégaie le mafioso qui ne sait quoi dire.

— Je n'ai pas fini!

Le peintre lève une main pour garder l'attention et, durant une pénible minute, on n'entend que sa difficile respiration. Puis il reprend:

— Comme je le disais, je suis à présent un consommateur et peut-être pensez-vous que mon jugement s'est forcément adouci sur la drogue? Je vous dirai ceci: miraculeusement, la morphine calme non seulement mes souffrances physiques, mais aussi mes appréhensions face à la mort... Pour tout dire, je me sens enveloppé d'un brouillard douillet, rassurant. Bien sûr, je bénis cette clémence offerte aux portes de mon décès... pourtant, souffrir, c'est vivre! Les opiacés sont une drogue dangereuse, un produit du Mal; ceux qui en usent ne font que dormir et rêver leur vie! Y a-t-il quelque chose de plus terrible que de ne pas vivre? Non, mon jugement est plus féroce qu'auparavant et je proclame ceci : la drogue est une malédiction ! Il est impardonnable à notre époque, dans notre société, de voir un tel fléau fleurir ! Si on le voulait, on pourrait l'éradiquer… mais la drogue génère des rentrées d'argent que les gouvernements hypocrites ne dédaigneront jamais… alors, ils font comme si…

Une quinte de toux encore, qu'un silence accompagne. Jos est assommé. Le grand homme dit vrai. Le mafioso est bien placé pour le savoir ; toutes les familles qui trempent dans le commerce de la drogue sont acoquinées avec des politiciens. Le vieux parrain Ciottolo, par exemple, envoyait ses enfants dans les meilleurs collèges privés tenir compagnie à des enfants de notables. Il prévoyait marier sa fille aînée au fils cadet d'un ministre. Lui dont l'épouse participait à tous les repas de bienfaisance que ces dames organisent pour alléger le fardeau des sous mal acquis. D'ailleurs, avec leurs vestons-cravates, leur allure respectable et leur grosse bagnole, qui de nos jours peut différencier le mafioso du ministre ? Le peintre a repris son souffle :

— Et si je ne me sentais pas si épuisé, en un mot si lâche, j'aimerais mourir en toute lucidité… car je ne vais pas rêver que je meurs… je vais mourir vraiment.

Pendant un bon moment, on n'entend plus dans la pièce que les halètements de l'artiste. Chacun semble méditer. Le silence se fait plus lourd et risque de durer. Soudain, le peintre se tourne de nouveau vers Jos ; sa main fragile et impatiente repousse le tube de plastique qui tombe sur sa bouche à intervalles réguliers.

— J'aimerais aussi vous dire, monsieur, que bien qu'étant italien je n'ai aucun proche qui fasse partie de la mafia, et personne d'une grande famille comme la vôtre...

Ici, Jos lance un regard de reproche à Emma. Bien sûr, elle l'avait averti qu'elle n'avait rien caché au peintre de la situation de Jos. Mais Emma avait-elle besoin de TOUT lui dire? Car elle lui avait tout dit. Ça se voit à son air penaud, à ses mains qui tripotent les accoudoirs du petit fauteuil rouge, à ses yeux qui évitent ceux de Jos...

— Par contre, je connais des gens qui connaissent quelqu'un qui connaît quelqu'un qui en fait partie. L'un d'eux m'a dit un jour une étrange chose sur la Cosa Nostra. J'ai ri en entendant ça; pour moi, c'étaient des balivernes. Aujourd'hui, en vous voyant chez moi presque tous les jours et après vous avoir observé, je crois à la vérité de ces propos. «Dans la mafia, m'a dit ce type, les jeunes apprennent à ne pas pleurer, à se taire. Oh! Entre eux, ils sont émotifs! Il n'est pas rare de les entendre s'entredéchirer à coups de cris et de claques! Mais dès qu'il s'agit de leur travail ou de leurs intérêts, on peut en vain les soumettre à la torture, ils ne lâchent pas le morceau! Ainsi, dès la soixantaine, ils sont si durs, si impassibles qu'ils ont déjà l'immobilité des gisants. Il est terrible de voir ces vieilles figures fermées; des coffres-forts.» Et bien, monsieur Peone, j'ai cru à de l'exagération... Je ne vous connaissais pas alors... Pourtant encore jeune, je vous sens tourmenté, secret et grave. Vous êtes en ce moment en fâcheuse posture, mais essayez de vous ouvrir à la vie pendant que vous le pouvez. À vous voir, on croit regarder Jésus portant sa croix et tous les péchés du monde... Il vous faut aimer aussi... Vous n'avez pas d'épouse, ça, je le sais. Une bonne amie peut-être? Non, on n'a qu'à vous regarder pour le deviner... Je suis un vieil idiot qui va bientôt mourir, ces jours-ci probablement, oui! Oui, Emma, je sais ce que je dis! Vous n'êtes pas drôle, monsieur Peone, et comme les vôtres, vous prenez la vie pour un champ de bataille...

Ici, le peintre s'étouffe et le bruit de succion qu'émettent ses poumons sonne comme une fanfare. L'infirmière se précipite, une mallette de soins sous le bras. Il leur faut partir. L'artiste résiste, se cramponne à la chemise de Jos, puis le regarde dans les yeux comme pour y glisser un dernier message.

L'autre ne sait quelle contenance adopter, furieux contre le peintre qui s'est permis de le juger, mais aussi plein de pitié pour cet homme qui va mourir. L'infirmière connaît son affaire et, en moins de deux, Jos et Emma se retrouvent sur le trottoir. Il tombe une méchante averse de grêlons. Il y a peu de trafic, et de rares silhouettes courbées rasent les murs. L'enseigne de l'herboristerie grince sur ses gonds et un couple se chamaille au milieu de la rue.

La femme, échevelée, frappe son compagnon à la tête avec son sac à main:

— Tu m'jures, mon salaud, que tu la reverras plus? Tu jures?

Ce dernier, conciliant, les bras en l'air pour se protéger:

— J'te l'jure, mon amour, c'est un malentendu. Tu sais que j't'aime...

Et la femme tombe sur la poitrine de l'homme. Celui-ci, satisfait, lui entoure la taille d'un bras pour la soutenir ; il l'oblige à marcher et lui couvre la chevelure de son foulard.

Jos a un rictus. *Il ne sait pas ce qu'il dit, monsieur l'artiste. Voyez le bel amour ! Et il me dit d'aimer !* pense-t-il en regardant le couple s'éloigner. *Il ne me connaît même pas, ce foutu bonhomme. Et il parle d'aimer !* Le souvenir de Tatou, sa dernière compagne décédée d'overdose, vient le poignarder. Ce fut son grand amour. Une ancienne danseuse, une junkie, mais qui l'aimait de tout son être. S'il l'avait exigé, elle aurait cessé la consommation, comme elle avait cessé de danser dès que le mafioso le lui avait ordonné. Alors, elle aurait fait une bonne épouse et, peut-être, si elle n'était pas morte, aurait-il bravé les préjugés.

L'aimait-elle vraiment ou se leurrait-il en le croyant ? Elle avait soif de sécurité, oui ! De quelqu'un pour prendre soin d'elle et la choyer. Lui ou un autre… Voilà, il avait voulu y croire. Et les traits de Jos se durcirent.

— Il ne sait pas ce qu'il dit, le bonhomme ! marmonne-t-il.

Emma l'arrête :

— Je ne sais pas, Jos, mais j'ai le pressentiment que je ne le verrai plus…

— Tu vas le revoir demain, il te l'a demandé !

D'une petite voix, Emma répond :

— Son ton et sa manière pour te retenir… comme s'il sentait sa fin… je ne sais pas, mais j'ai peur…

— Il ne peut pas guérir ?

— Non ! Je te l'ai dit. Il a un cancer du poumon… et il n'a jamais fumé !

— Mais alors ?

Emma hausse les épaules :

— C'est comme ça. Il croit que certains produits utilisés en peinture peuvent être responsables... Allez savoir ! Enfin, c'est un grand homme. L'aide qu'il m'a procurée est inestimable. J'en serai digne...

Elle pleure maintenant. Elle est pâle et maigre, et le froid rosit à peine ses pommettes. De grandes poches noires sous les yeux, des sacs de fatigue accumulée, lui donnent l'air pitoyable. Ses cheveux tombent en longues mèches raides, comme des serpents, de dessous son chapeau ; fragile, triste et... seule.

Le mafioso en est frappé. Emma est l'être le plus solitaire qu'il ait jamais rencontré. Une marginale parmi les marginaux.

Elle n'a ni famille ni conjoint ni amis, car Jos ne peut prétendre à ce titre. Le milieu de la drogue ? Elle en est sortie. Elle n'est pas non plus issue d'un milieu populaire où l'on se serrerait les coudes. Elle ne s'est jamais prostituée, n'a jamais dansé. Elle fréquentait les piaules pour s'y approvisionner, rien de plus. Sa façon de parler, un peu précieuse, l'a maintenue à l'écart des autres détenues ; en prison, on se méfie des beaux parleurs. On suspecte l'undercover... Si Emma a fini par être appréciée des filles qui ont fait d'elle leur présidente à Tanguay, c'est grâce à sa bonté, à sa générosité qui, mises plus d'une fois à l'épreuve, n'ont jamais failli. Elle l'a gagnée, sa popularité, mais elle est demeurée une étrangère.

Elle est tout aussi distante du milieu littéraire québécois, beaucoup plus petit-bourgeois qu'on le pense, très sélect, composé en majeure partie de retraités cultivés, d'enseignants, de journalistes et de figures connues du petit écran, du cinéma ou de la chanson, qui ne crachent pas sur une bonne biographie pour qu'on parle d'eux.

Emma a connu plus que sa part de malchance.

D'abord la mort de ceux qui lui étaient les plus proches, puis des incarcérations pour vols à l'étalage. Bien sûr, elle méritait les sentences, mais Jos, dont toutes les connaissances ont tabassé un homme sans faire de prison, sait qu'il y a là injustice...

Un avocat qui s'indignait de la lourde peine infligée à sa cliente s'était fait répondre par un juge :

— Dans notre société, les crimes contre les biens sont punis beaucoup plus sévèrement que les crimes contre la personne.

Ne pouvant payer les cautions, Emma a aussi subi les périodes de détention dans les affres du manque. Jos en frissonne rien que d'y penser : le manque dans le milieu carcéral doit être horrible, et une sentence de plus en soi.

Si, au moins, elle pensait d'abord à elle ! Qu'il arrive une maladie, un accident, et la jeune femme se trouverait rapidement dans l'indigence ! Pourtant, elle refuse l'aide du peintre ; un logement pour cinq ans, meublé, chauffé et une rente confortable ! Jos n'en revient toujours pas. Si ça avait été lui... En plus, Emma risque le peu qu'elle possède pour aider le premier venu ! Lui ! Quelque chose comme un remords effleure le mafioso. Pas longtemps, il n'est pas de ceux qui s'attendrissent. Emma est une adulte, après tout. Elle fait des choix et il n'ira pas les contester, surtout si ça va contre ses intérêts à lui.

Ils sont entrés dans l'immeuble, et la jeune femme ne dit plus un mot. Elle pense encore au peintre.

Fredo est toujours vautré sur le canapé du salon. Il veut apitoyer les deux autres en étalant ses misères :

— Si au moins j'avais encore la console de jeux vidéo, j'pourrais rester dans ma chambre sans m'y sentir étouffé…

La console de jeux est le premier objet de valeur qu'Emma a retiré du logement pour le soustraire à la convoitise de Fredo. Il en fait à présent un objet de chantage :

— Si on me la rend, alors…

Jos fait comme si son frère n'existait pas. Il ne lui parle pas, ne s'en approche pas…

Fredo ne s'est pas lavé depuis longtemps et ses rares cheveux sont gras et dégoûtants. Un pyjama taché lui sert de vêtement et, sur la table du salon, s'empile de la vaisselle souillée et un reste de nourriture. La provocation est claire et le mafioso serre les dents. Il se dirige de son pas lourd vers la cuisine et fait semblant de ne rien voir.

Devant l'évier, Jos se calme enfin.

— Je fais du café, tu en veux ?

Il hoche la tête et se pousse pour permettre à Emma d'utiliser l'évier. Il s'assied à la grande table, les yeux dans le vague, palpe machinalement de son pouce l'index de sa main droite comme pour y retrouver le souvenir du diamant qui l'a occupé si longtemps. Il était quelqu'un alors !

— Ils vont voir comme je vais rebondir, marmonne-t-il.

— Que dis-tu ?

— Rien.

Il regarde la jeune femme dont la moue affiche le désagrément.

Le souper se déroule en silence. Fredo a cessé de se plaindre. Il a encore les veines pleines de drogue et n'a pas bronché quand Jos lui a signifié qu'il aurait droit à sa dose seulement demain. Et une seule dose par jour.

Le temps est suspendu, lourd de menaces. Des grêlons tambourinent avec force sur les vitres. Pas de chandelles sur la table, ce n'est pas la fête. L'ampoule crue du plafonnier souligne cruellement les visages épuisés.

Ils passent ensuite au salon qu'Emma a nettoyé.

Ils sont tous maintenant assis. Fredo, les yeux fermés, roupille ; Jos fixe le téléviseur d'un air distrait et Emma lit un bouquin, lorsque sonne le téléphone. Fredo sursaute sur son lit de fortune, se frotte les yeux. Un court instant, ils restent tous trois pétrifiés, à se regarder. Personne n'est censé connaître le numéro de l'appartement. Qui peut bien appeler ? C'est Emma, plus blanche qu'une nappe immaculée, qui comprend la première. Elle se précipite vers l'appareil.

C'est Molinari, pense Jos, ou… son infirmière. Les deux frères n'entendent rien des propos tenus par la jeune femme. Le téléphone est dans la cuisine. Celle-ci revient bientôt, l'air abattu.

— Molinari est aux soins intensifs de l'hôpital Notre-Dame. Il demande à me voir. Son infirmière pense que je dois y aller tout de suite… Il n'en a plus pour longtemps…

— Mais… Jos a dit qu'on ne peut pas sortir. C'est trop risqué ! Hein, Jos ?

— Pas question que je reste ici alors que Molinari se meurt…, répond Emma

Peut-être que Jos aurait lancé quelque remarque acerbe, mais on ne le saura jamais, car une nouvelle sonnerie se fait entendre. Cette fois, c'est le petit portable remis par Taglione, et les trois se dévisagent une fois de plus.

— Hé, Jos, qu'est-ce que t'attends pour répondre ? crie Fredo.

Jos cherche à atteindre l'appareil dans la poche arrière de son pantalon. Madone ! Ses doigts boudinés peinent à déloger le portable et ça sonne toujours. Enfin ! Il y parvient et répond le souffle court comme s'il venait de courir des kilomètres.

— Allô ?

Emma et Fredo scrutent le visage du mafioso à la recherche d'un indice. Jos reste de marbre et lance de temps à autre un « O.K. » peu révélateur. Comme ça se prolonge, la jeune femme enfile son manteau. Elle a la main sur la poignée de la porte quand Jos raccroche.

Il reste un moment sans parler, avec le regard heureux d'un enfant qui vient de recevoir un cadeau de Noël. Il s'approche d'Emma, Fredo sur les talons, le premier sourire de sa vie sur le visage. Il semble rajeuni de vingt ans :

— C'était mon grand-oncle Sammy. Ça y est, il me remet les passeports demain. De l'argent aussi. Le parrain Peone n'est pas au courant, car Taglione a prévenu Sammy que mon oncle me trahirait probablement. Nous pourrons faire changer la date des billets d'avion et… partir dans la semaine, ce qui nous avance de beaucoup.

Jos sourit de plus belle et se tourne vers son frère dont il saisit les épaules affectueusement :

— T'as compris, Fredo ? On va enfin partir ! On a presque gagné. Tu vas voir comme tu vas l'aimer, la Sicile de nos pères !

Puis, se tournant vers la jeune femme, ébahie devant ce flot de paroles :

— Va, Emma. Va voir ton peintre. Madone! Transmets-lui mes bons vœux. Fais attention toutefois à ne pas te faire remarquer à l'extérieur de l'hosto. Si près du but, on ne voudrait pas que surgisse le moindre pépin, hein?

Fredo demeure sans réaction. Debout, un peu en retrait de son frère, il dégage une aura funeste. Emma descend l'escalier, frissonnante. Son inquiétude pour le peintre est cependant si grande qu'elle se jette dans le froid de la rue et oublie Fredo.

L'hôpital Notre-Dame se dresse bientôt, sobre et fier, rue Sherbrooke. Emma descend d'un taxi devant l'entrée. Ses jambes avalent les marches du perron deux à deux. Dans le hall, à gauche, se trouve une petite boutique de cadeaux. La jeune femme hésite, puis se dit que Molinari n'a plus besoin de babioles terrestres, mais de présence humaine.

Ce n'est même plus le cas. Aux pleurs qu'elle entend derrière la porte de la chambre, elle devine que Molinari a rendu l'âme.

— Depuis vingt minutes, lui murmure une garde qui s'apprête à entrer. Vous venez?

Emma secoue la tête, la gorge serrée. À quoi bon? La famille endeuillée du peintre, vue par l'entrebâillement de la porte, ne la connaît guère et n'apprécierait peut-être pas cette intrusion. Elle ne jette même pas un regard sur le corps. Elle se retire discrètement, court dans l'escalier qui mène à l'extérieur et saute dans l'un des taxis à l'entrée, pressée de s'enfuir de ce lieu qui a vu la fin d'un grand homme.

Durant le trajet, en son for intérieur, elle fait ses adieux à celui qui ne lui a rien demandé, mais lui a beaucoup donné et appris.

Adieu, Molinari !

Chapitre X

En ce matin de mars, un soleil jeune et vigoureux chauffe sans brûler. Les lève-tôt, pour la première fois de l'année, s'habillent plus léger. Balayée, disparue, cette boue sale, reste de neige mélangé aux précipitations des derniers jours. Les trottoirs sont secs, propres et gais, parés de lumière. Il est moins de sept heures.

Jos a ouvert l'une des grandes fenêtres du salon et, le regard plongé sur la rue, respire à pleins poumons.

Il étire ses bras, fait jouer ses doigts; ses membres sont souples. C'est que depuis des semaines, depuis son arrivée à l'appartement rue Sainte-Catherine, son corps n'est plus en surdose. Son cœur se dégonfle peu à peu et se remet de ses fatigues. Un bruit de pas dans le dos de Jos le fait se retourner:

— On gèle ici! Tu es malade, Jos, d'ouvrir comme ça! On est en mars. C'est encore l'hiver!

D'un geste vif, Emma ferme la fenêtre et resserre sur elle sa robe de chambre:

— Veux-tu bien me dire, Jos, pourquoi tu bouges les mains sans arrêt?

— Imagine, Emma, il y a longtemps que je n'avais pas senti mes doigts... Enfin, je les sentais, mais ils étaient comme pris dans de la gelée… Enfin, je me comprends…

Emma, la tête ailleurs, n'écoute pas. Elle se dirige vers la cuisine et lance :

— Je suis en forme ce matin alors, en plus du café, je fais des œufs pis du bacon. Si t'en veux, dis-le tout de suite.

— Non. Je ne mange jamais le matin. Pas avant ma dose, en tout cas… Et puis, je veux me raser et prendre une douche.

— Donne-moi ma dose avant de t'laver, Jos.

Fredo est apparu, les yeux encore plissés de sommeil.

— Tu pourrais au moins dire bonjour !

Jos découpe minutieusement un petit morceau dans la pâte d'opium et le tend à son frère qui proteste :

— Ça vaut rien, c'que tu m'donnes. Je s'rai même pas confortable. Tu dis qu'on part cette semaine alors donne m'en plus. Y en a en masse !

Jos remballe la drogue dans son enveloppe cirée. Il toise son cadet :

— Non, Fredo. On ne sait jamais ce qui peut arriver. Tu en as assez. C'est demain qu'on part.

Tremblant de rage, son cadet tourne les talons :

— Tu vas l'regretter, Jos…

Ce dernier hausse les épaules et referme la porte de sa chambre. Des menaces, son frère n'a que ça aux lèvres, mais ce ne sont que des paroles.

Jos enlève son pyjama et revêt la robe de chambre trouvée par Emma dans les effets du peintre. Une douche va lui faire le plus grand bien. Si près de la liberté, il en savoure déjà les joies. La pochette bourrée de fric repose sous le matelas avec des passeports. Il y a deux jours, il a rencontré son grand-oncle Sammy à l'église Saint-Marc et tout s'est bien passé.

La Mercedes du mafieux stationnait sur le boulevard Rosemont, un peu en retrait du lieu de culte. Le chauffeur appuyé sur le capot fumait une cigarette. Sammy, lui, campé sur le parvis de l'église, pompait un gros cigare comme à son habitude. On était dimanche et il y avait messe. Par la porte, que des fidèles ouvraient par intervalles, on entendait le prêtre et le chœur des fidèles.

Sammy était plus ratatiné que jamais dans son habit noir. Sa tête chenue arrivait tout juste à l'épaule de son petit-neveu. Usé et fatigué certes, il gardait le digne maintien du vrai mafieux qui en a vu d'autres. Il y avait encore de la vie derrière ses grosses lunettes.

Il a tapoté le bras de Jos et continué de fumer son cigare en silence, comme un homme qui a tout son temps et qui n'est pas le moins du monde inquiet des mauvaises rencontres. Jos, lui, surveillait sans cesse la rue en se demandant ce que son grand-oncle attendait, mais une longue tradition de respect envers ses aînés lui clouait les lèvres ; pour rien au monde, il n'aurait brusqué son parent, ça ne se faisait pas.

Le service religieux terminé, les fidèles sortirent. Surtout des gens âgés, nota Jos. Son grand-oncle lui agrippa le coude et ils entrèrent dans l'église, presque vide. Deux vieilles s'attardaient près de l'autel. Sûrement attendaient-elles leur tour pour la confession. Deux ou trois âmes étaient restées pour prier. Sammy fit asseoir Jos près de lui, sur le dernier banc, derrière une grosse colonne qui les camouflait des regards. Les mains jointes, il chuchota :

— Je suis heureux de te voir, mon gars. Je t'ai apporté les passeports, et cinq mille dollars cash ! Tu as déjà les billets d'avion, à ce que Taglione m'a dit, mais appelle la compagnie pour faire changer les dates de départ, car il est préférable que tu partes cette semaine… Demain si tu peux…

— Oui bien sûr, mais…

— Écoute, mon gars, c'est heureux pour toi que tu aies à quitter le pays. Si t'étais resté, t'aurais bientôt dû choisir entre le clan des Peone, celui de tes ancêtres, et ton serment de fidélité envers les Ciottolo, pour qui tu travaillais encore il y a quelques mois.

— C'est mon oncle Giorgio qui a fait tuer mon père, jamais j'aurais pris son parti, Peone ou pas.

La voix de Jos sonnait fort sous les voûtes et résonna dans l'église comme une indécence. Les deux vieilles, indignées, cherchaient le coupable du regard. Enfin, le prêtre sortit du confessionnal et fit signe aux dames qu'il était prêt à officier. Une petite guerre de préséance se déclencha entre elles et détourna l'attention. Soulagé, Sammy posa une main sur le genou de son petit-neveu :

— Moins fort, mon gars, et laisse-moi parler, veux-tu ? Je sais bien que tu n'aurais pas choisi le clan de ton oncle, mais en reniant le nom des Peone, avec raison ou pas, tu n'aurais plus aucune chance qu'une grande famille te prenne sous son aile. Il y a des choses qui ne se pardonnent pas. On ne renie pas ses ancêtres !

« De toute façon, notre famille est fichue à Montréal. Taglione t'a déjà dit que les Roccagelli avaient été choisis pour prendre notre place. Tout ça, grâce à cet imbécile de Giorgio… Comme il sait qu'il n'a plus rien à perdre, il a proposé aux Ciottolo les deux choses qu'ils convoitent : ta tête bien sûr, que le jeune parrain Ciottolo fera tout pour obtenir, et ses alliances en hauts lieux pour les contrats de construction importants à venir. Mais… les gouvernements changent et le nouveau est bien décidé à éplucher toutes les soumissions dans le bâtiment ; ce ne sera pas facile de le leurrer. Aussi bien dire que Giorgio n'a finalement plus rien à offrir de ce côté. Mais il reste ta tête… »

— Madone ! Je ne comprends pas ce que ça va lui rapporter de me trahir… puisqu'il est déjà fichu et qu'il ne peut pas l'emporter sur les grosses familles new-yorkaises ?

— Bien sûr que Giorgio est fichu mais il est dangereux. Il ne peut plus conserver le bastion Peone, mais il ne veut pas perdre le reste. S'approprier le territoire des Peone que les grandes familles ont décidé de céder aux Roccagelli, voilà ce qui peut allécher le jeune parrain Ciottolo. Ton oncle lui proposera donc de le prendre, lui Giorgio, comme conseiller. C'est un projet qui peut marcher !

« Le jeune Dany Ciottolo est ambitieux – tu en sais quelque chose –, il peut oublier toute prudence, accepter l'offre de ton oncle et jouer en solitaire. Alors les puissantes familles de Montréal s'entretueront. Et Giorgio sera protégé des grosses pointures que Taglione représente à Montréal et qui veulent sa peau. Le parrain Peone a pavoisé. Il s'est fait trop d'ennemis pour qu'on le soutienne encore. Il va jouer le tout pour le tout…

« Et il n'a plus que toi comme monnaie d'échange. Si le jeune Ciottolo ne t'haïssait pas tant, il ne pourrait rien espérer. Ses conseillers sont d'avis partagés en ce qui te concerne. Ils se souviennent de toi lorsque tu avais les faveurs du vieux parrain Ciottolo. Ils te citent comme quelqu'un de confiance et de sérieux malgré tes... enfin tes petits problèmes...»

Ici le grand-oncle, gêné, baissa les yeux. C'est qu'il était de la vieille école et, malgré sa résignation à la vente de drogue afin que les familles survivent, il gardait ses préjugés. Pour lui, un drogué était un être dangereux et incurable. Il était d'ailleurs surpris du calme et de l'air avisé de son petit-neveu, qu'il s'attendait à voir plutôt telle une loque aux yeux hagards. Peut-être lui avait-on menti? Peut-être son petit-neveu n'avait-il que flirté un peu avec les substances, comme hélas bien des jeunes des familles, dont son propre petit-fils qui avait un temps fumé des joints? Il y avait mis bon ordre, et vite! Oui, sûrement qu'on avait exagéré en faisant de Jos un junkie... Ce devait être son autre petit-neveu, Fredo, un faible, selon ses souvenirs, qui avait ce problème. D'ailleurs, Jos était loin d'être maigre et, pour le grand-oncle, les drogués avaient tous des airs faméliques. Rassuré, il poursuivit:

— En passant, la famille au pays est au courant de... vos problèmes à toi et à ton frère. Dès votre arrivée, on vous mènera discrètement dans une clinique privée. Le directeur doit des faveurs à la famille. Après... et bien après, tu auras une bonne place. Les Peone, là-bas, sont prospères, solides et surtout... respectés! Ils ne pardonnent pas à Giorgio la déchéance de la branche Peone de Montréal. C'est d'ailleurs une autre raison qui le rend si dangereux; il ne peut pas retourner au pays et est acculé à cette sotte association avec les Ciottolo...

Jos trouvait dans les propos de son grand-oncle la réponse à une ou deux questions qu'il se posait depuis l'intervention de Taglione dans ses affaires: pourquoi Taglione et Sammy l'aidaient-ils? Sans parler des Peone de Sicile qui devraient pencher en faveur du parrain de la famille et non pour lui, Jos, un drogué acoquiné à une autre famille? Il comprenait maintenant que c'était parce qu'on avait décidé de l'élimination physique de l'oncle Giorgio; on ne voulait pas seulement le tasser, mais le tuer! Par contre, on n'était plus dans les années cinquante où les meurtres entre familles mafieuses étaient monnaie courante et acceptés comme un mal nécessaire. Depuis, les mafieux s'étaient embourgeoisés. Ils voulaient la paix et hésitaient à éliminer un des leurs. Il fallait une bonne raison et cette bonne raison… c'était Jos!

Jos esquissa un sourire. Il n'était pas fâché de comprendre qu'on ne l'aidait pas pour lui-même; on n'avait pas le choix! C'était de bonne guerre. Ainsi il était certain d'obtenir une bonne situation à sa sortie de cure. Voilà ce qu'Emma ne saurait percevoir malgré tous ses diplômes. Elle ne décelait jamais un calcul derrière un geste et continuerait de croire qu'on aidait Jos parce qu'il était de la famille ou qu'on lui reconnaissait du talent. Elle ne voyait le mal nulle part. Même Fredo, dont la fréquentation lui avait appris la méfiance, trouvait encore grâce à ses yeux: «Ce n'est pas sa faute… C'est un faible mais…» Et de le chouchouter, de le dorloter…

— Il faut que tu partes au plus vite, Jos.

Ce dernier sursauta, tiré de ses réflexions, et dit:

— Mais vous, Sammy? Mon oncle va découvrir que vous m'avez remis les passeports avant la date prévue et vous serez en danger.

— C'est pourquoi je pars moi aussi, mon gars. Je rentre au pays avec ma femme, mes enfants et mes petits-enfants, et ce, dès demain. De toute façon, il n'y a plus d'avenir pour les miens ici. Taglione nous a déjà fait des propositions de la part de familles américaines pour mes fils. Moi, je retourne au pays chauffer mes vieux os sous le soleil de mes ancêtres... On se reverra, mon gars! Jusque-là, tiens-toi cloîtré et réserve aujourd'hui même pour l'un des prochains vols. Bonne chance, mon gars!

Ils sont sortis de l'église. Jos a cligné des yeux sous la lumière crue du dehors. Il a suivi son grand-oncle jusqu'à sa Mercedes et le chauffeur lui a remis la pochette oubliée dans la Bentley de Taglione. Puis, Sammy lui a tendu les passeports, bien à l'abri dans une enveloppe, et l'a embrassé. Le vieux est finalement monté dans son véhicule, ému plus qu'il ne l'aurait cru possible.

— C'est l'âge, s'est-il dit en essuyant furtivement ses paupières.

Sous la douche, Jos sifflote comme ça ne lui est plus arrivé depuis l'enfance ; *ils vont voir comme je vais me relever.* Il englobe dans ce «ils» les Ciottolo, son oncle Giorgio, et tous ceux qui parasitaient son ancienne vie.

Il sort de la douche, essuie minutieusement son gros corps, se frotte à l'eau de Cologne, s'en met jusque derrière les oreilles, puis s'habille dans sa chambre. *Emma va encore grogner.* Il rit.

Il prend soin des plis de sa chemise comme s'il allait au bal. Dans moins d'une heure, il sera temps d'appeler l'aéroport Pierre-Elliott-Trudeau afin de changer la date des billets d'avion pour le premier vol demain, même cette nuit...

Il s'apprête à passer sa ceinture, la regarde, incapable d'enregistrer ce que ses yeux voient ; la glissière intérieure est ouverte, déchirée même, comme si quelqu'un de pressé l'avait triturée avec force. Jos passe machinalement sa main sous le matelas, mais il sait déjà que la pochette n'y est plus. Il n'y a qu'une mosaïque de papiers déchirés, tout petits comme des confettis : les billets d'avion qu'une main rageuse a détruits, tellement qu'on ne peut plus rien en faire. Jos reste quelques secondes sans se relever, plié en deux, comme frappé au ventre. Emma, qui venait l'avertir que Fredo n'est plus dans la maison, le découvre ainsi, prostré. Elle s'avance pour le soutenir.

Il se dégage sans violence, se redresse, ses yeux dans ceux de la jeune femme, et pourtant il ne la voit pas. Emma recule devant ce regard qui n'est plus celui d'un homme. D'une voix calme, le mafieux demande :

— C'est Fredo ? Qui d'autre aurait pu agir de la sorte ? L'imbécile. J'espère juste qu'il se contentera de m'avoir volé. Il n'oserait pas quand même...

Jos se tait, ne va pas au bout de sa pensée, comme pour conjurer le sort en n'avouant pas ce qu'il craint. Emma prononce difficilement :

— J'étais dans la cuisine à préparer des œufs... J'ai cru entendre la porte d'entrée s'ouvrir et se fermer... je n'étais pas sûre... J'aurais dû aller voir tout de suite...

Pourquoi faire? Aurait-elle pu empêcher Fredo de partir? Mais non...

Alors qu'ils sont là, figés comme deux mannequins dans une vitrine, le petit portable de Jos se met à sonner.

Jos répond et Emma a peur de cette voix calme :

— Allô! C'est vous, Sammy. Non... Vous êtes certain? Oui... Je vous confie la jeune femme, car elle devient maintenant, elle aussi, un témoin gênant... Je vous le demande... Je sais ce que j'ai à faire... Ils vont appeler, oui... Merci pour tout, Sammy.

Jos raccroche. Durant la conversation, Emma a vu le mafieux se durcir, devenir un roc qu'on ne peut plus approcher. Elle le voit déposer le portable sur la table de chevet. Puis l'une de ses mains glisse sous l'oreiller et saisit l'arme ainsi que les munitions. Fredo n'a pas pensé à l'arme.

Jos la charge, tranquillement. Il marmonne, se parle à lui-même comme s'il était seul dans la pièce :

— Madone! S'il ne voulait pas me suivre, il aurait pu prendre la drogue et l'argent, puis attendre mon départ tout simplement. Mais non, l'imbécile, le lâche, il a toujours été un imbécile et un lâche... voilà qu'il est allé me trahir aux Ciottolo! Le crétin! Il ne voit pas plus loin que le bout de son nez et croit que vendre son frère lui vaudra le respect! L'imbécile, le sombre imbécile! Il vient de signer son arrêt de mort, oui... Il devient un témoin à éliminer. S'il avait attendu que je quitte le pays, on l'aurait laissé vivre... il n'aurait pas été dangereux... L'imbécile! Et il doit crâner en ce moment, sans réaliser qu'il est pris au piège.

Emma capte ce que Jos projette et elle voudrait intervenir. Mais les mots se bloquent dans sa gorge. Ce n'est plus seulement Jos qui se tient devant elle, mais tous les ancêtres du mafieux qui font renaître la tradition des vendettas. Tout ce qu'elle dirait serait inutile; on ne se bat pas contre l'émotion, on la comprend ou on se tait. Sans approuver.

Dring! Dring!

C'est le téléphone de l'appartement, et non le portable. Ce ne peut être qu'eux… À moins que… Et Emma a soudain l'espoir fou que ce soit Fredo qui regrette. Fredo qui appelle d'une cabine proche pour savoir s'il peut revenir. Un Fredo qui n'a contacté personne et n'a pas voulu trahir son frère. Mais, elle sait bien que le drame est enclenché et que tout est joué.

Elle a suivi Jos dans le salon où il répond, toujours aussi calme :

— Allô!

Emma voudrait saisir la conversation mais Jos est laconique. Avant de raccrocher, Jos questionne pourtant :

— Mon frère sera là? Très bien, je descends dans dix minutes. Oui c'est ça, on parlera. Vous dites?… Un accord? Très bien. Non, elle est déjà partie, je suis seul, oui… Je descends, oui…

Jos raccroche. Lentement, il va vers la fenêtre du salon et regarde dehors, tapi derrière le rideau qu'il tient d'une main. Puis il s'ébroue. D'une voix caverneuse et sans se tourner vers la jeune femme :

— Emma, tu sors tout de suite! Descends jusqu'au premier étage et glisse-toi dehors par la petite fenêtre qui donne sur le côté. Elle est toujours ouverte. Tu es toute petite, tu passeras. Ne prends pas l'escalier de secours qui donne sur la cour, et ne sors pas par l'avant. Des hommes de Ciottolo surveillent ces deux issues, je le sais, je les connais. Mais ils ne penseront pas à la fenêtre du premier ; Fredo est trop stupide pour leur en avoir parlé.

Il lance le nom de son frère comme un crachat. Il se reprend :

— Vite ! Tu n'es plus en sécurité à présent. La Mercedes du vieux Sammy t'attend à l'angle des rues Darling et Sainte-Catherine. Mon grand-oncle te mettra à l'abri. Il me l'a promis. Va vite !

Il pousse Emma vers la porte. Tremblante, les jambes coupées, elle a peine à saisir son manteau.

— Ne le prends pas, tu ne passerais pas par la fenêtre. Vite !

— Viens avec moi, Jos, ils vont te tuer !

— Fais ce que je dis, Emma, dépêche-toi !

Un ton irrévocable. Rien ne peut plus ébranler Jos. Mûrie par l'expérience, par des années de souffrances, Emma répond :

— Fais ce que tu as à faire, Jos… Je ne suis pas d'accord, mais je respecterai…

Elle s'élance dans l'escalier. Jos ne referme pas la porte. Il saisit le lourd poncho sous lequel sa main tient le revolver, puis jette un dernier regard à l'appartement, à la fenêtre grande ouverte qui vient de voir tous ses espoirs du matin s'envoler. D'un pas lourd mais ferme, il s'engage à son tour dans l'escalier. Au premier étage, il constate que la jeune écrivaine est parvenue à se faufiler par l'étroite fenêtre. L'eût-il désiré, il n'aurait pu glisser son gros corps dans une si petite ouverture. De toute façon, il ne le désire pas.

La rue est tranquille, déserte. La grosse bagnole noire est devant l'entrée de l'immeuble.

Le soleil est si fort, l'air si pur… Jos respire à pleins poumons.

Ils sont quatre, cinq en comptant Fredo. Une autre voiture doit guetter la cour de l'immeuble.

Deux hommes se tiennent hors du véhicule, campés bien droit. À moins de cinq mètres de Jos, ils lui font face. Un troisième homme soutient d'un bras Fredo qui est pâle. Il commence peut-être à comprendre qu'il est le dindon de la farce. Il détourne légèrement la tête, n'ose pas regarder son frère.

Jos doit agir vite, les surprendre. Il sait que les deux tueurs tiennent une arme. Sa main à lui demeure ferme sous le poncho. Il crie :

— Fredo !

Ce dernier se tourne vers lui, le regarde enfin. Il lit dans les yeux de son frère l'arrêt implacable. Il ouvre la bouche pour crier, veut repousser le bras de l'homme qui l'immobilise. Trop tard ! La balle tirée par Jos l'atteint en plein front. Il titube, recule, puis s'écroule lentement, les yeux toujours fixés sur Jos.

Ce dernier, des larmes sur le visage – enfin il pleure ! –, ne laisse pas aux tueurs de Ciottolo le plaisir de le descendre. Il dirige l'arme vers sa tempe et tire.

Un éblouissement. Son gros corps chute. Tout s'obscurcit mais son ouïe est devenue d'une acuité surprenante ; autour de lui ça frémit, ça bruisse, ça ondule… Sa tête heurte le trottoir et la vue lui est brièvement rendue. Les sbires, affolés, se précipitent dans leur bagnole. Il n'a pas respecté les règles. Il aurait dû gentiment se laisser

conduire à l'extérieur de la ville, où on les aurait élimi-
nés proprement, Fredo et lui. Il aurait cru durant tout le
trajet qu'un accord était possible… qu'il pouvait encore
sauver sa peau… il aurait parlementé. Mais là! En pleine
rue Sainte-Catherine… le scandale sera énorme!

*Ces hommes sont si sérieux; ils se croient si impor-
tants*, pense Jos. Le problème avec les mafieux, c'est
qu'ils veulent tous avoir bonne conscience, justifier leurs
actes par la morale… tous! La Mamma avec ses prières,
le vieux Ciottolo comme le jeune… Oncle Giorgio…
Tous… Et lui aussi.

Le peintre avait raison. Emma aussi. Jos aimerait
pouvoir le lui dire. Dans un dernier effort, il tourne la
tête vers le coin de la rue, où il est certain que la jeune
femme s'est tapie pour surveiller. Le soleil éblouissant
l'aveugle pour de bon. À la seconde où il meurt, il a son
plus grand spasme de vie. Ses yeux maintenant éteints
restent fixés sur ce coin de rue où une petite silhouette
en larmes s'est détachée du mur pour courir.

Mais on ne meurt jamais pour rien.

Ce que la prison, la drogue, l'itinérance, la perte
d'un grand amour n'ont pu faire, la mort de Jos vient de
l'accomplir: la rupture des chaînes de dépendances qui
reliaient Emma à son ancienne vie.

C'est fini!

La jeune femme court, plus libre, plus sereine à
chaque foulée. Et, devant elle, le soleil déploie ses rayons
comme des bras, pour enfin l'accueillir au monde.

Dans la même collection

Achille, Stéphane, *Corbeau et Novembre*.
Alarie, Donald, *David et les autres*.
Alarie, Donald, *J'attends ton appel*.
Alarie, Donald, *Thomas est de retour*.
Alarie, Donald, *Tu crois que ça va durer?*
Andrewes, Émilie, *Les cages humaines*.
Andrewes, Émilie, *Conspiration autour d'une chanson d'amour*.
Andrewes, Émilie, *Eldon d'or*.
Andrewes, Émilie, *Les mouches pauvres d'Ésope*.
April, J. P., *La danse de la fille sans jambes*.
April, J. P., *Les ensauvagés*.
April, J. P., *Histoires humanimales*.
April, J. P., *Mon père a tué la Terre*.
Aude, *Chrysalide*.
Aude, *L'homme au complet*.
Audet, Noël, *Les bonheurs d'un héros incertain*.
Audet, Noël, *Le roi des planeurs*.
Auger, Marie, *L'excision*.
Auger, Marie, *J'ai froid aux yeux*.
Auger, Marie, *Tombeau*.
Auger, Marie, *Le ventre en tête*.
Babin-Gagnon, Nathalie, *L'Absent*.
Belkhodja, Katia, *La marchande de sable*
Belkhodja, Katia, *La peau des doigts*.
Blouin, Lise, *Dissonances*.
Bouyoucas, Pan, *Cocorico*.
Brochu, André, *Les Épervières*.
Brochu, André, *Le maître rêveur*.
Brochu, André, *La vie aux trousses*.
Bruneau, Serge, *Bienvenue Welcome*.
Bruneau, Serge, *L'enterrement de Lénine*.
Bruneau, Serge, *Hot Blues*.
Bruneau, Serge, *Quelques braises et du vent*.
Bruneau, Serge, *Rosa-Lux et la baie des Anges*.
Carrier, Roch, *Les moines dans la tour*.
Castillo Durante, Daniel, *Ce feu si lent de l'exil*.
Castillo Durante, Daniel, *La passion des nomades*.
Castillo Durante, Daniel, *Un café dans le Sud*.
Chatillon, Pierre, *Île était une fois*.
de Chevigny, Pierre, *S comme Sophie*.
Clark, Marie, *Le lieu précis de ma colère*.

Cliche, Anne Élaine, *Mon frère Ésaü*.
Cliche, Anne Élaine, *Rien et autres souvenirs*.
Corriveau, Hugues, *La gardienne des tableaux*.
Croft, Esther, *De belles paroles*.
Croft, Esther, *Le reste du temps*.
Delagrange, Iris, *Dévissage*.
Deschênes-Pradet, Maude, *La corbeille d'Alice*.
Désy, Jean, *Le coureur de froid*.
Désy, Jean, *L'île de Tayara*.
Désy, Jean, *Nepalium tremens*.
Drouin, William, *L'enfant dans la cage*.
Dubé, Danielle, *Le carnet de Léo*.
Dubé, Danielle et Yvon Paré, *Le bonheur est dans le Fjord*.
Dubé, Danielle et Yvon Paré, *Un été en Provence*.
Dumont, Claudine, *Anabiose*.
Dumont, Claudine, *La petite fille qui aimait Stephen King*.
Dupré, Louise, *L'été funambule*.
Dupré, Louise, *La Voie lactée*.
Ferretti, Andrée, *Pures et dures*.
Forget, Marc, *Versicolor*.
Gariépy, Pierre, *L'âge de Pierre*.
Gariépy, Pierre, *Blanca en sainte*.
Gariépy, Pierre, *Lomer Odyssée*.
Gariépy, Pierre, *Tam-Tam*.
Genest, Guy, *Bordel-Station*.
Gervais, Bertrand, *Comme dans un film des frères Coen*.
Gervais, Bertrand, *Gazole*.
Gervais, Bertrand, *L'île des Pas perdus*.
Gervais, Bertrand, *Le maître du Château rouge*.
Gervais, Bertrand, *La mort de J. R. Berger*.
Gervais, Bertrand, *Tessons*.
Guilbault, Anne, *Joies*.
Guilbault, Anne, *Les métamorphoses*.
Guy, Hélène, *Amours au noir*.
Hébert, François, *De Mumbai à Madurai. L'énigme de l'arrivée et de l'après-midi*.
Laberge, Andrée, *Le fil ténu de l'âme*.
Laberge, Andrée, *Le fin fond de l'histoire*.
Laberge, Andrée, *La rivière du loup*.
Lachapelle, Lucie, *Histoires nordiques*.
La France, Micheline, *Le don d'Auguste*.

Lanouette, Jocelyn, *Les doigts croisés*.
Lavoie, Marie-Renée, *La petite et le vieux*.
Lavoie, Marie-Renée, *Le syndrome de la vis*.
Leblanc, Carl, *Artéfact*.
Leblanc, Carl, *Fruits*.
Léger, Hugo, *Le silence du banlieusard*.
Léger, Hugo, *Télésérie*.
Léger, Hugo, *Tous les corps naissent étrangers*.
Lepage, Éloïse, *Petits tableaux*.
Marceau, Claude, *Le viol de Marie-France O'Connor*.
Marcotte, Véronique, *Les revolvers sont des choses qui arrivent*.
Martin, Patrice, *Le chapeau de Kafka*.
Mihali, Felicia, *Luc, le Chinois et moi*.
Mihali, Felicia, *Le pays du fromage*.
Millet, Pascal, *Animal*.
Millet, Pascal, *L'Iroquois*.
Millet, Pascal, *Québec aller simple*.
Millet, Pascal, *Sayonara*.
Moussette, Marcel, *L'hiver du Chinois*.
Ness, Clara, *Ainsi font-elles toutes*.
Ness, Clara, *Genèse de l'oubli*.
Ouaknine, Serge, *Le tao du tagueur*.
Ouellette-Michalska, Madeleine, *L'apprentissage*.
Ouellette-Michalska, Madeleine, *Jeux de hasard et de désir*.
Ouellette-Michalska, Madeleine, *La Parlante d'outre-mer*.
Paquette, Caroline, *Le monde par-dessus la tête*.
Paré, Yvon, *Les plus belles années*.
Péloquin, Michèle, *Les yeux des autres*.

Perron, Jean, *Les fiancés du 29 février*.
Perron, Jean, *Visions de Macao*.
Pigeon, Daniel, *Ceux qui partent*.
Pigeon, Daniel, *Chutes libres*.
Pigeon, Daniel, *Dépossession*.
Psyché, Dynah, *Rouge la chair*.
Rioux, Hélène, *Âmes en peine au paradis perdu*.
Rioux, Hélène, *Le cimetière des éléphants*.
Rioux, Hélène, *Mercredi soir au Bout du monde*.
Rioux, Hélène, *Nuits blanches et jours de gloire*.
Roger, Jean-Paul, *Un sourd fracas qui fuit à petits pas*.
Rondeau, Martyne, *Game over*.
Rondeau, Martyne, *Ravaler*.
Saint-Cyr, Romain, *Toujours en Afrique*.
Saucier, Jocelyne, *Il pleuvait des oiseaux*.
Saucier, Jocelyne, *Jeanne sur les routes*.
Saucier, Jocelyne, *La vie comme une image*.
Strévez La Salle, D., *Le saint patron des backpackers*.
Tapiero, Olivia, *Espaces*.
Thériault, Denis, *La fille qui n'existait pas*.
Tourangeau, Pierre, *La dot de la Mère Missel*.
Tourangeau, Pierre, *La moitié d'étoile*.
Tourangeau, Pierre, *Le retour d'Ariane*.
Trussart, Danielle, *Le Grand Jamais*.
Trussart, Danielle, *L'œil de la nuit*.
Vanasse, André, *Avenue De Lorimier*.
Villeneuve, Félix, *L'Horloger*.

Suivez-nous :

Achevé d'imprimer en septembre deux mille seize
sur les presses de l'imprimerie Gauvin,
Gatineau, Québec